BRANCO COMO A NEVE

SALLA
SIMUKKA

Tradução
Pasi Loman e Lilia Loman

Novo Conceito

Título original: *As White as Snow*

Edição original publicada por Tammi Publishers

1ª Impressão — 2016
Impressão e Acabamento RR Donnelley 251116

Produção Editorial: Equipe Novo Conceito
Capa: © Laura Lyynen
Imagem da capa: Shutterstock

Dados Internacionais de Catalogação na Publicação (CIP)
(Câmara Brasileira do Livro, SP, Brasil)

Simukka, Salla
Branco como a neve / Salla Simukka ; tradutor Pasi Loman e Lilia Loman. -- Ribeirão Preto, SP : Novo Conceito Editora, 2017.

Título original: As white as snow.
ISBN 978-85-8163-689-4

1. Ficção finlandesa I. Título.

15-00223 CDD-894.5413

Índices para catálogo sistemático:
1. Ficção : Literatura finlandesa 894.5413

Novo Conceito
Rua Dr. Hugo Fortes, 1885
Parque Industrial Lagoinha
14095-260 – Ribeirão Preto – SP
www.grupoeditorialnovoconceito.com.br

QUINTA-FEIRA, *16 de junho*

1

I'm only happy when it rains.[1]

A voz de Shirley Manson fluiu para dentro dos ouvidos de Lumikki, dizendo que Shirley só ouvia músicas tristes, só encontrava conforto na noite escura e só amava más notícias. O sol brilhava em um céu completamente limpo. O calor de vinte e três graus fazia o suor escorrer no pescoço de Lumikki. Seus braços e pernas estavam grudentos. Se ela lambesse sua mão, sentiria o gosto de sal. Todas as tiras de suas sandálias a incomodavam. Seus pés e dedos queriam mais liberdade.

Lumikki se sentou em um muro de pedras, tirou as sandálias, colocou os pés sobre o muro e mexeu os dedos. Um grupo de turistas japoneses olhava para ela há um bom tempo. Algumas jovens gracejavam. Elas nunca haviam visto pés descalços antes? Pelo amor de Deus, eu sou da terra dos Moomins. Moomins andam descalços também.

Não estava chovendo. Não chovia há cinco dias.

Só estou feliz quando chove. Lumikki não poderia cantar com Shirley pois estaria mentindo. O sol brilhava e ela estava feliz. Ela

[1] Referência à música *Only happy when it rains*, da banda Garbage. (N.T.)

não ansiava que as coisas fossem complicadas. Ela não ficava satisfeita apenas quando as coisas davam errado. Shirley podia ficar com seus sentimentos melancólicos. Lumikki desligou a música e deixou que os sons dos turistas preenchessem a sua audição.

Italiano, espanhol, inglês americano, alemão, francês, japonês, russo... Era difícil distinguir palavras individuais, muito menos frases, na cacofonia de línguas. Isso era, na realidade, um alívio também, pois assim não era preciso se concentrar em discussões inúteis em que se repetiam coisas óbvias. Mesmo agora Lumikki sabia muito bem o que a maior parte das pessoas dizia naquele lugar.

Que vista!

E era verdade. Não havia como negar. Uma vista maravilhosa de Praga. Telhados vermelhos, árvores com folhas verdes, torres de igrejas, pontes, o rio Moldávia, que brilhava sob a luz do sol. Olhar para aquela cidade tirava o fôlego de Lumikki. Ela não se acostumara com a vista em cinco dias. Todos os dias ela ia para algum lugar alto só para olhar para a cidade e sentir uma felicidade inexplicável.

Talvez fosse algum tipo de felicidade de liberdade, distanciamento e solidão. Ela estava completamente sozinha. Ela não tinha de dar satisfações a ninguém. Ninguém a chamava nem queria saber seus planos. Ela não tinha responsabilidades. Ela pensaria sobre o seu último ano de escola e em um possível emprego para o resto do verão quando voltasse para a Finlândia. Agora havia apenas o calor escaldante e uma cidade que respirava história inspirando fundo.

Era dezesseis de junho. Lumikki tinha mais uma semana de sua viagem em Praga antes de ter de voltar à Finlândia para passar um tradicional *midsommar*[2] com o lado de seu pai da família,

---

[2] Celebração popular dos países nórdicos da chegada do verão. (N.T.)

desta vez no arquipélago de Turku. Ela não pudera recusar, pois seu pai assumira que era óbvio que Lumikki viria. Afinal ela não tinha mais nada o que fazer, certo? Uma cabana alugada com amigos? Planos especiais com alguma pessoa especial?

Não. Nada. Lumikki teria preferido passar a Festa do Verão em sua casa sozinha, ouvindo o silêncio. Ela não sentia falta de canções alegres de bêbados, batatas frescas ou arenque. Ela não queria se vestir como filha e aluna aplicada, sorrir e conversar polidamente, responder isso e aquilo para perguntas sobre o futuro e o namorado ou afastar tios que não eram de sangue vindo dar abraços excessivamente apertados.

Ainda assim, ela entendia que seu pai queria que ela viesse. E sua mãe também. Três meses se passaram desde que Lumikki estivera deitada em uma cama de hospital. Ela levara um tiro na coxa, mas, felizmente, a bala apenas arranhara sua pele. Pior fora o congelamento decorrente de ter ficado deitada sobre a neve. Ela se envolvera nos negócios de traficantes de drogas quando ela e sua colega de classe Elisa estavam investigando o que o pai de Elisa fazia e o que era a sacola cheia de notas manchadas de sangue que fora jogada em seu quintal.

O caso da polícia de narcóticos corrupta então levara Lumikki à festa luxuosa do Urso Polar. Lá, ela percebera que, de fato, Urso Polar eram duas mulheres, gêmeas idênticas. Lumikki tivera tempo para fugir quando Boris Sokolov, que trabalhava para o Urso Polar, a vira e começara então a segui-la.

Graças à evidência de Lumikki, tanto Sokolov quanto o pai de Elisa haviam terminado atrás das grades, mas ninguém pudera capturar o Urso Polar. Porém Lumikki decidira, após os eventos de março, que ela não se meteria mais nos assuntos alheios. Ela fora perseguida, quase congelara em um freezer e levara um tiro. Muito obrigada, mas isso foi o suficiente. Chega de sangue. Chega de emoção e fuga sobre a neve usando botas escorregadias cheias de gelo.

Sua mãe e seu pai queriam manter Lumikki em casa, em Riihimäki, por algum tempo. Eles até queriam que Lumikki deixasse sua quitinete alugada, mas ela não concordara com isso. Lumikki durante a primavera entregara jornais para pagar parte do aluguel e, assim, convencera os pais a manter o apartamento alugado e vazio, caso fosse necessário. Durante as primeiras semanas, porém, não houvera razão de nem sonhar em poder visitar a quitinete por mais do que o tempo de apenas entrar e sair.

Lumikki aceitara isso e viajava de trem para a escola em Tampere. Pouco a pouco, ela começara a novamente passar a noite em sua quitinete no subúrbio de Tammela e a levar suas coisas de volta para lá, item por item. No final, em maio, ela anunciara que, para ela, sua casa em Riihimäki seria, no futuro, apenas um lugar para ser visitado. Ponto final. Seus pais não tinham nada a falar sobre isso. Como eles poderiam mantê-la, sua filha adulta? Lumikki poderia pagar o aluguel com suas economias e sua pequena bolsa de estudos.

Quando a escola por fim acabou, na primavera, Lumikki quisera se afastar de tudo. Ela fizera reservas de voos para Praga, encontrara um quarto barato de albergue, fizera as malas levando somente o necessário e partira.

Já quando o avião decolava, ela se sentira aliviada. Longe da Finlândia por um tempo. Longe do cuidado sufocante de seus pais. Longe das ruas onde ela ainda se assustava com homens vestidos de roupas escuras. Lumikki lutara por toda sua vida contra o medo. Ao sair do avião, no aeroporto de Praga, ela sentira pesadas correntes se afrouxando. Sua postura parecera mais ereta imediatamente e seu andar se tornara mais confiante.

Portanto, Lumikki estava feliz. Assim, ela virou seu rosto para o sol, fechou os olhos e sorriu para si mesma. Ela aspirou os aromas da cidade da Europa central. Tirou um cartão de sua mochila. No cartão havia uma foto da Ponte Carlos sob a iluminação noturna. Decidiu escrever algumas linhas para Elisa, que agora, de fato, usava o nome de Jenna, devido aos eventos do inverno. Elisa e sua mãe haviam mudado de nome. O mundo das drogas era tão duro e os riscos tão altos que isso fora a coisa mais segura a ser feita. Porém Lumikki ainda pensava em Elisa como Elisa.

Elisa e sua mãe viviam atualmente em Oulu e Elisa estava estudando para ser cabeleireira. Ela escrevia para Lumikki de vez em quando e contava o que acontecia com ela. Elisa escrevera que finalmente fora visitar o pai na prisão. Aparentemente, não havia sido tão ruim quanto ela pensara que fosse. Foi importante ver o pai e ter uma chance de falar com ele. Em suas mensagens, Elisa parecia surpreendentemente calma e um pouco mais adulta do que antes. Os acontecimentos do inverno a haviam forçado a crescer também e a tomar responsabilidades. Ela não podia mais ser a princesa da festa e a filhinha do papai, mas aquilo parecia combinar mais com ela do que seu papel anterior. Lumikki estava feliz porque Elisa parecia estar bem dadas as circunstâncias.

Elisa havia, de certo modo, tornado aquela viagem possível. Ela enviara à Lumikki um mil euros dos trinta mil que haviam sido jogados no quintal. Em casa, Lumikki dissera que ela conseguira sozinha economizar dinheiro para a viagem. Ela, de fato, tinha algumas economias, mas graças ao presente de Elisa, ela não precisara tocá-las. Fora boa a sensação de gastar o dinheiro de sangue. Ele estivera a incomodando na gaveta secreta de sua cômoda.

Subitamente, uma sombra surgiu em frente ao seu rosto. Um cheiro de incenso, de repente, tornou-se mais forte do o que cheiro geral da cidade, misturando-se com um leve aroma de algum sabonete de cânhamo. Lumikki abriu os olhos. Uma garota com vinte e poucos anos estava de pé ao seu lado, vestindo calças brancas de linho e uma camisa de manga comprida feita do mesmo material. Seus cabelos castanhos estavam presos em duas tranças, que haviam sido enroladas em sua cabeça como uma coroa. Seus olhos cinzas tinham um olhar hesitante. A garota mexia na alça de sua pequena bolsa feita de couro cor de conhaque.

Lumikki se sentiu um pouco incomodada.

Sim, ela vira a garota há alguns dias. Ela estivera a observando pensando aparentemente que Lumikki não percebera. Por acaso, elas haviam ido aos mesmos locais turísticos, saído nas mesmas horas. A garota parecia ser alguns anos mais velha do que ela e também estar sozinha. Ela era sem dúvida algum tipo de *hippie* que agora precisava de uma companheira de viagem para se sentar nos parques e beber vinho tinto quente barato e conversar sobre a unidade profunda do universo.

Nada de errado nisso, mas Lumikki não viera a Praga para fazer novos amigos. Ela não precisava conhecer novas pessoas.

A garota abriu a boca e Lumikki já pensou como rebater a tentativa de abordagem brevemente, educadamente e de forma adequadamente fria. Ser fria sempre funcionava.

Quando a garota terminou a frase, apesar do calor, o suor frio escorreu pelo pescoço de Lumikki, deixando-a toda arrepiada.

— *Jag tror att jag är din syster.*[3]

---

[3] "Acho que sou sua irmã." (N.T.)

Eu sou seu sangue. Eu sou sua carne. Você é meu sangue. Você é minha carne.

Somos da mesma família. Somos mães e pais, pais e filhos, irmãs e irmãos, tias e tios e primos. O mesmo sangue flui em nós e a mesma crença, que é mais forte do que montanhas e mais profunda do que rios. Deus nos criou na mesma família, como membros da mesma congregação santa.

Deixe que nos demos as mãos. Irmãs e irmãos, nossa hora logo chega. Jesus está nos chamando e não hesitamos em responder ao seu chamado. Não temos medo. Cremos fortemente.

Nosso credo é branco como neve. É limpo e brilhante. Não há espaço para dúvidas. Nosso credo é como a luz, que vai cegar os pecadores com sua força. Nosso credo os queimará com seu brilho.

Nós somos uma família, que sempre estará junta. Nós somos a Família Branca Sagrada e nossa espera logo será recompensada.

2

A garota olhou para as mesas do café, os guarda-sóis, os rostos dos turistas desconhecidos. Seus dedos brancos finos tocaram um copo com água gelada, com movimentos rápidos, desenhando linhas no vidro úmido. Ela tomara apenas um gole de água. Lumikki tivera tempo de beber dois copos cheios de café puro.

Elas haviam acabado de ir a um café caro de turistas no pátio do castelo, pois não havia realmente boas alternativas na região. Lumikki não conseguia pensar direito. Ela não sabia como colocar em palavras todas as dezenas de perguntas que giravam em círculos em sua cabeça.

— *Jag måste kanske försöka förklara...*[4] — a garota disse de maneira suave e hesitante.

Sim, por favor.

Lumikki ficou quieta e decidiu deixar que a outra se explicasse.

Não a guie com perguntas.

— *Jag har... kan jag prata engelska? Min svenska är lite ... dålig.*[5]

---

[4] “Eu provavelmente devo tentar explicar...” (N. T.)

[5] “Eu tenho... posso falar em inglês? Meu sueco é um pouco... ruim.”(N. T.)

Lumikki simplesmente mexeu a cabeça. Ela notara que a garota falava com um forte sotaque checo. Sueco não era a sua língua materna. Mas devia haver uma razão pela qual ela falara com Lumikki precisamente naquela língua.

— Meu nome é Zelenka. Eu tenho vinte anos — disse a mulher.

Lumikki observou seus dedos, que continuavam seu movimento nervoso sobre o copo. Em seu dedo anular direito havia uma depressão quase invisível que o circundava. Como se a garota houvesse tirado um anel que estivera usando por bastante tempo.

Zelenka contou que ela vivera toda a sua vida em Praga. Ela passara sua infância e adolescência com a mãe, as duas, até a mãe morrer quando ela tinha quinze anos, em um acidente. Ela caíra em um rio à noite.

A voz de Zelenka ficou mais densa. Por um momento, ela olhou para uma igreja atrás dos turistas e depois continuou:

— Depois disso... outros têm cuidado de mim. Agora tenho uma nova família.

— Você é casada? — perguntou Lumikki.

Zelenka balançou a cabeça com firmeza.

— Não, não, nada disso. Há pessoas boas que me levaram para morar com elas. Você acredita em bondade?

A pergunta veio tão subitamente e com tamanha seriedade que Lumikki teve de tomar um gole de café antes de responder.

— Há boas ações. E boas intenções.

Zelenka olhou direto em seus olhos. Lumikki não pôde interpretar o olhar em seu rosto. Ela estava sendo hostil ou pensativa? Ela desejava que Zelenka já fosse direto ao assunto, mas não começou a forçá-la.

Como se pudesse ler mentes, a outra começou:

— Quando eu era pequena, minha mãe se recusou a me contar qualquer coisa sobre o meu pai, embora eu deva tê-la enlouquecido com minhas perguntas e minha insistência. "Você não tem pai", ela simplesmente dizia. Eu sabia que era mentira. Todo mundo tem de ter um pai. Então, quando fiz dez anos, minha mãe me fez sentar e quis falar sobre meu pai. Ela me contou que, onze anos antes, encontrara um turista no verão. O homem era da Finlândia e falava sueco. Seu nome era Peter Andersson.

Lumikki começou a sentir frio novamente apesar do calor que as envolvia, vindo de todas as direções, como um cobertor. Ela começou instintivamente a procurar pelos traços de seu pai no rosto de Zelenka. Havia algo similar no nariz reto e estreito? As sobrancelhas escuras? O formato do queixo? Às vezes ela achava poder ver um *flash* do rosto de seu pai diante do rosto de Zelenka, mas então a visão desaparecia.

— O relacionamento de minha mãe foi curto e apaixonado. Ele tinha uma esposa na Finlândia. Eu fui um erro, é claro, mas quando minha mãe descobriu que estava grávida, ela decidiu ficar comigo. Para o homem, digo, meu pai, ela não contou nada naquela época. Somente quando eu tinha dois anos, minha mãe enviou ao meu pai uma foto minha.

Zelenka parou por um momento e bebeu goles sedentos. A cadeira parecia balançar debaixo de Lumikki. Ela ouvia as palavras de Zelenka, mas achava difícil conceber seu significado. Seu pai tinha outra filha. Aqui. Sua irmã mais velha.

— Meu pai queria me ver, mas minha mãe o proibiu. Durante anos, meu pai me enviou cartas, cartões, fotos, pequenos presentes e dinheiro para minha mãe. Ela não respondia de forma alguma. As correspondências diminuíram com o tempo, é claro, já que não havia nenhum tipo de resposta. No fim, elas pararam. Então ela me contou sobre meu pai, mas não sobre as cartas que ele enviara. Eu mesma as encontrei quando tinha doze anos. Minha mãe as tinha escondido no guarda-roupa, em uma caixa atrás dos lençóis. Só tive tempo de olhar as cartas e presentes por algum tempo antes que minha mãe entrasse no quarto e ficasse furiosa. Segundo ela, eu vasculhara as coisas às escondidas. Arrancou a caixa de mim, a esvaziou na lareira, acendeu o fogo. Eu chorei a noite toda.

Zelenka falava com uma voz fina, sem cor, mas suas mãos trêmulas revelavam que dizer aquelas palavras não era fácil para ela. Ela ficou quieta por bastante tempo, claramente não sabia como continuar.

Ao lado delas havia um grupo barulhento de estudantes italianos. Os meninos bebiam Coca-Cola ruidosamente e competiam para ver quem dava os melhores arrotos. Um casal americano reclamava em voz alta sobre o quão era difícil converter Euro em Dólar e encontrar algo que fosse realmente barato. Lumikki notava tudo, mas os sons pareciam vir de algum lugar distante, de outra dimensão. A história de Zelenka era como uma peça de um quebra-cabeça, que cabia em um lugar que incomodava a vida de Lumikki há mais tempo do que podia se lembrar. Ela sempre soubera, sentira e pressentira que sua família escondia algo. Havia algo grande de que eles não falavam, mas que às vezes invadia os cômodos de tal maneira que se tornava difícil respirar. A tensão do pai. Os olhos tristes da mãe, até mesmo marejados. Discussões, que paravam quando Lumikki chegava.

Entretanto Lumikki achava difícil imaginar algo como aquilo relacionado ao seu pai. Peter Andersson era muito reservado, sempre correto e um homem que controlava seus nervos. Muitas pessoas tinham uma personalidade pública e uma personalidade familiar, que diferiam de maneira que a personalidade familiar tinha coragem de mostrar aos seus entes amados sua tristeza, irritação e, por outro lado, também seu afeto e animação. Ele era exatamente o mesmo em todos os lugares. Um homem que tinha uma casca grossa ao seu redor.

Poderia seu pai ter tido um romance em Praga? Seria seu pai capaz de ter um caso de amor? Seu pai não dissera nada sobre sua visita à cidade. Isso era estranho. Seria esperado que ele quisesse dar à Lumikki dicas sobre onde ir e o que não poderia deixar de ver.

Zelenka falava sobre um Peter Andersson que Lumikki não reconhecia. Mas isso em si não significava nada. Era totalmente possível que seu pai tivesse muitas facetas que Lumikki não conhecesse. Algum dia conhecemos realmente as pessoas? Mesmo aquelas que são próximas a nós?

— Quando minha mãe morreu, pensei que nunca descobriria nada sobre meu pai. Pois eu só tinha um nome, Peter Andersson, e a informação que ele vivia na Finlândia e falava sueco. O nome era tão comum que não era de utilidade nenhuma. Então eu a vi.

— Mas como você sabia? — Lumikki não pôde deixar de perguntar. — Pois nunca nos encontramos.

Um sorriso surgiu no rosto de Zelenka pela primeira vez.

— Antes que minha mãe tivesse tempo de queimar as cartas e outras coisas do meu pai, pude ver uma foto sua. Você tinha oito anos. Na parte de trás da foto estava escrito "Sua irmã mais nova, Lumikki". A foto foi gravada nitidamente em minha memória, com os menores detalhes. Quando eu a vi, eu a reconheci imediatamente. Você se parece tanto com a foto. Eu queria ter certeza, porém, então eu a segui algumas vezes e a observei. Espero que não tenha ficado brava.

Lumikki balançou a cabeça. Com o gesto, ela tentou negar algo, mas não estava certa do quê.

Tudo o que ela sabia era que depois daquilo nada seria o mesmo novamente.

3

Os cabelos tinham o mesmo tom de marrom, que tendiam mais para um cinza frio do que um marrom avermelhado quente. O cabelo de Zelenka era comprido. Se ela desfizesse sua trança enrolada na cabeça, com certeza os cabelos alcançariam a parte inferior das costas. O cabelo curto de Lumikki era do tipo Carey Mulligan. Mas não se pode dizer nada só pela cor do cabelo. Aquele tipo de cabelo castanho era provavelmente a cor natural mais comum entre mulheres da Europa central.

Olhos cinzas. Os olhos de Zelenka eram um pouco mais escuros do que os de Lumikki. A curva do lábio superior tinha uma suavidade similar, se observasse com cuidado. Mas as dimensões do rosto eram diferentes. Zelenka tinha uma testa claramente mais alta, Lumikki tinha um nariz menor e mais curto.

Elas eram aproximadamente da mesma altura. Zelenka talvez um pouco mais alta. Elas estavam de pé uma ao lado da outra em frente ao espelho do banheiro do café e observavam seus rostos. Zelenka segurava Lumikki pelo ombro. Lumikki se sentia desconfortável. Ela não gostava que pessoas estranhas a tocassem. Ela queria manter seu próprio território até com as pessoas que ela conhecia e deixava apenas poucos chegarem à distância do toque. Zelenka a segurava firmemente, apertando. A cor da pele de seu rosto era tão clara como a de seus dedos. Lumikki estava ligeiramente bronzeada.

Julgando pela aparência, elas poderiam ser irmãs. Ou não. Nenhum traço isolado denunciava escandalosamente uma relação genética. E nenhuma delas se parecia especificamente com o pai de Lumikki.

Lumikki se apoiou contra a pia e lavou seu rosto e pescoço com água fria. Isso a refrescou e fez seus pensamentos fluírem melhor. Informações de mais para digerir em um dia. Notícias de mais. Revelações de mais. Ela não tivera tempo para pensar no que se seguiria. Como ela agiria.

Lumikki não suportava não saber o que deveria fazer em seguida.

— Tanto... de uma vez — disse no fim, enquanto secava seu pescoço com uma toalha de papel. Uma gota de água tivera tempo de se espreitar para dentro da gola e agora escorria pelas suas costas como um mau pressentimento.

— Eu sei. Eu tive muitos anos para digerir isso. Você ficou sabendo só agora.

— Sim. Meu pai nunca falou... Eu não sabia que você existia. Papai...

Desta vez, Zelenka colocou a outra mão no braço de Lumikki, considerando a hesitação como uma reação emocional. Tratava-se disso também, mas tratava-se do fato que Lumikki não queria revelar demais sobre si mesma naquele momento. Ela precisaria primeiro descobrir a verdade.

Havia algo suspeito e ansioso sobre Zelenka e sua história. As coincidências pareciam fortes demais para serem verdadeiras.

E, por outro lado, os detalhes realmente pareciam estar certos... Os pensamentos de Lumikki estavam em turbilhão e ela não conseguia apaziguá-los.

— Posso lhe pedir uma coisa? Não fale com seu pai sobre isso ainda. Com o nosso pai. Não quero que mais uma vez ele fique sabendo sobre mim através de outra pessoa. Eu mesma quero falar para ele quando chegar a hora — disse Zelenka.

Lumikki concordou com a cabeça. Era fácil aceitar o pedido. Para falar a verdade, não havia nem passado pela sua cabeça ligar imediatamente para o seu pai e começar a perguntar se era verdade que ele tinha uma filha em Praga. Não é assim que as coisas eram feitas em sua família. Nós enrolamos e tentamos resolver as coisas por outros métodos. Uma família de segredos. Isso talvez parecesse seguro e familiar como um livro de literatura jovem emocionante, mas na realidade era um enorme rochedo que pesava sobre os ombros de todos eles e tornava difícil olhar nos olhos de cada membro da família.

— Como você aprendeu sueco? — Lumikki então perguntou, mudando a língua para sueco.

Zelenka sorriu timidamente e respondeu, em sueco também:

— Isso parece um pouco estranho, mas quando descobri que meu pai falava sueco, comecei a praticá-lo sozinha na internet e com livros. Eu vi clipes de programas para crianças no YouTube e degustei as palavras em minha boca. Elas pareciam estranhamente familiares. *Smultron, Fånig. Längtan. Pannkaka.* Talvez nossos genes de fato têm parte da língua de nossos pais.

Lumikki não se deu o trabalho de comentar que aquele tipo de crença parecia mais uma baboseira *new age*, que não tinha nada a ver com genética nem psicologia do desenvolvimento humano. Zelenka podia acreditar no que quisesse.

Uma turista entrou no banheiro feminino e olhou estranhamente para Lumikki e Zelenka. Os sinos da igreja de São Vito podiam ser ouvidos lá fora. Isso indicava que o dia avançara até as duas horas. Zelenka ficou tensa.

— Já são duas horas? — perguntou.

Lumikki fez um sinal afirmativo com a cabeça. Os olhos de Zelenka começaram a vagar e seus dedos mexeriam na alça da bolsa de couro. Ela parecia um animal sendo caçado. O calor e até a forma ligeiramente relaxada de sua postura, presentes há um momento, haviam desaparecido em um segundo.

— Preciso ir — disse Zelenka. — Nos encontramos amanhã. Ao meio-dia.

— No mesmo lugar?

Zelenka olhou à sua volta.

— Não, não no mesmo lugar. Isso não é uma boa ideia. Você conhece o castelo de Vyšehrad? Você pode chegar lá de metrô. Vamos nos encontrar lá.

Lumikki não teve tempo para dizer nada, nem sugerir um lugar mais específico para se encontrarem ou perguntar por que Zelenka estava subitamente com tanta pressa. Ela já tinha saído às pressas do banheiro feminino, deixando Lumikki olhar para sua imagem no espelho com a testa franzida.

Os dedos de uma mulher estalaram contra a superfície de uma mesa. A mesa era feita de carvalho, há apenas um mês ela fora polida e envernizada, todas as pequenas imperfeições causadas pelo uso haviam sido removidas. Seus olhos passaram pelas paredes da sala. Lá estavam eles. Os diplomas, certificados, recortes de jornal, as grandes conquistas de sua carreira e os melhores momentos em uma coleção colorida que faria inveja a qualquer um. Para ela não era o suficiente. Nada era suficiente, nada podia ser suficiente. Não naquele negócio. Naquela área era preciso estar sempre faminto. Era preciso sempre querer algo maior, melhor, impressionante, chocante, comovente, enfurecido, mais amado. Era preciso ansiar por algo novo. Era preciso estar atualizado ou preferivelmente um pouco à frente, era preciso agir quando ninguém ainda podia esperar aquilo.

Era preciso ser o assunto de conversas. Na boca de todos. Aqui. Agora. Amanhã.

Os dedos da mulher agarraram o telefone e o abriram, tiraram o chip e o trocaram por outro.

Eles reiniciarão o telefone. Eles escolherão um número que ninguém saberá que ela ligou.

Uma voz masculina respondeu rapidamente.

— Você está pronta? — quis saber o homem.

— Ainda não.

— Lembre-se que ela não pode saber demais.

— É claro que eu me lembro. Faço essas coisas há tanto tempo que já sei as regras. Ela tem de saber o mínimo possível. Assim, suas reações serão genuínas. Pois é a realidade o que queremos. Queremos sentimentos verdadeiros.

— Suponho que você também saiba o tamanho do perigo em que ela pode se envolver? Ela pode se machucar, até morrer.

— Teremos de correr o risco. E, no final das contas, um martírio não é uma má coisa. Posso pensar em uma história que duraria muito tempo, precisamente devido a um mártir.

Risos.

— Você não deveria falar comigo assim. Pois eu poderia ficar magoada.

— Conto com o seu humor negro.

— Humor é, de fato, a única coisa negra em mim. Então tudo está indo como planejado.

— Sim.

— Ótimo. Agora precisaremos parar. Deus o abençoe.

A mulher desligou o telefone e deu um sorriso maldoso. Ela não precisava da bênção divina para aquilo. Por outro lado, muitos outros podiam, de fato, precisar.

A nação anseia por histórias sobre heróis. Eles querem ver, ouvir e ler como o bem vence o mal, Davi vence Golias; Jesus, Satã; os pequenos Hobbits, o poderoso Sauron. Eles querem ver o herói conquistar o inconquistável, abater o imbatível, destruir o imortal. Eles anseiam por histórias, em que o impossível se transforma em possível graças a um herói destemido e justo.

O herói deve ser compreensivo e desenvolver facilmente relações. Ele tem de, simultaneamente, ser próximo das pessoas e estar ligeiramente acima delas. Ele não pode ser enormemente poderoso. Ele tem de se esforçar, lutar, sentir dor e passar por dificuldades. Ele tem de quase sucumbir para que ascenda para a batalha final ainda mais forte. Um herói tem de ser vulnerável também. Ele tem de ter algumas partes onde o adversário possa golpear.

Para a história, tão importante quanto o herói, ou até mais importante, é o adversário. Cruel. Poderoso, inacreditavelmente cruel, de uma maldade impressionante que atrai a atenção das pessoas tal como um ímã. Elas gostariam de negar a existência do mal, mas, ao mesmo tempo, ele as fascina. Elas devoram o mal até ficarem nauseadas. Elas querem que alguém venha e leve o mal embora. Elas querem um herói.

Mas nenhuma história eficiente sobre um herói pode ser criada sem espectadores inocentes. Algumas pessoas têm de morrer, para que aquelas resgatadas sejam ainda mais preciosas.

Apenas a morte torna possível a real história de um herói.

SEXTA-FEIRA, *17 de junho*
Madrugada

4

Há um buraco no teto. Ele olhava fixamente para Lumikki como um olho preto cego. Ela devolvia o olhar. Ela estava completamente desperta.

As luzes amareladas da rua perfuravam as cortinas finas do quarto do albergue. Um cachorro latia em um parque nas proximidades. Duas horas da madrugada. O calor do dia não parecia amainar nem à noite, pois Lumikki estivera suando tanto que seus lençóis estavam todos molhados. Ela se levantou para abrir a janela. Ela teve de usar bastante força até que a janela dilatada cedesse com um estalo e abrisse. Além do ar noturno quente e úmido, o quarto inundou-se com o zumbido constante do tráfego, carros freando e buzinando. Alguém acelerava com os pneus girando. Um grupo que voltava de um bar começava a cantar. Se fosse possível distinguir qualquer coisa da cantoria desafinada, o palpite era que cantavam em francês.

Lumikki se apoiou contra o parapeito. Embora o ar do lado de fora estivesse tão quente quanto dentro, a leve brisa fazia o suor secar em sua pele. Ela queria tomar um banho, mas, para começar, seria inútil, ela teria de tomar outro novamente pela manhã. Além disso, Lumikki não queria acordar os outros hóspedes do albergue. Ela refletiu por um tempo se poderia estar com fome, mas excluiu rapidamente a possibilidade. E tudo o que ela teria ao seu dispor seriam algumas tortinhas que ela comprara no dia anterior. As tortinhas, de formatos diferentes, pareciam deliciosas, mas, de fato, eram todas de massa amanteigada com um recheio ligeiramente diferente. Alguns salgados, outros doces. E todas elas deixavam uma camada gordurosa na boca.

Lumikki acordara por causa do calor ou de um pesadelo. Ou talvez por causa dos dois. Os lençóis grudentos que haviam colado à sua pele provavelmente provocaram o sonho. O pesadelo era familiar, mas ela não o tivera há anos. Depois que a escola começara, ele fora substituído por sonhos sobre *bullies*. Os pesadelos, que continuavam durante o dia, repetiam-se de novo e de novo de forma que a realidade e os sonhos se misturavam e ela não podia discernir se estava acordada ou dormindo.

Mas este pesadelo era mais antigo. Dos anos em que ela ainda não tinha medo.

No sonho, Lumikki estava de pé diante de um espelho grande. Ela era pequena, talvez com dois anos de idade. Primeiro, ela via apenas seu próprio reflexo e o quarto escuro onde ela estava. Ela levantava suas mãos e seu reflexo fazia o mesmo. Ela sorria e mostrava os dentes. O espelho repetia tudo. Então ela viu no espelho outra menina surgir da escuridão e entrar atrás dela. A menina era um pouco mais velha, mas muito parecida. Elas até vestiam o mesmo tipo de vestido branco.

A menina colocou suas mãos nos ombros de Lumikki. As mãos eram quentes e transmitiam segurança. Então a menina se inclinou bem ao lado de seu ouvido e sussurrou:

— Você será minha irmã sempre, sempre e sempre.

Lumikki se virou para a menina. Por que diabos ela sempre se virava no pesadelo, mesmo sabendo que isso não terminaria bem? Até então, ela se sentira bem e quente. Então ela passou a se sentir imediatamente fria. Não havia ninguém atrás de Lumikki. Ela estava no quarto escuro completamente sozinha. Ela se virou para olhar para o espelho novamente. A menina estava lá. A menina estava escovando seu cabelo e Lumikki sentiu o movimento suave de sua mão. Ela queria afastar a mão, mas, quando tentou, sua própria mão tocou apenas o ar.

— Você quer brincar comigo? — perguntou a menina, chateada.

Lumikki balançou a cabeça, rápido. Tudo o que ela queria era que a menina desaparecesse. A menina não era real e Lumikki estava com medo.

— Vou ficar tão triste.

Então ela começou a chorar. Lumikki não queria olhar. Ela queria fechar os olhos com força. Mas ela não podia deixar de olhar. Embora soubesse. Ela sabia que não queria ver as lágrimas da menina.

As lágrimas eram vermelhas. Elas eram grandes gotas de sangue, que corriam pelo rosto da menina e caíam de seu queixo para seu vestido branco, manchando-o de vermelho. Quando Lumikki finalmente conseguiu tirar os olhos da cena, olhando para baixo, ela pôde ver seu próprio vestido, que não era mais branco. Ele estava repleto de manchas vermelhas de sangue.

Então ela acordou. Sempre no mesmo instante.

Lumikki jamais entendera onde o pesadelo começara. Teria ela talvez visto um relance de um filme assustador quando criança? Teria alguma criança no jardim da infância ou na vizinhança lhe contado uma história de fantasmas?

Era claro que o pesadelo voltara só agora. Não era necessário ser um terapeuta de sonhos para saber daquilo. Uma imagem de espelho de Lumikki e Zelenka. A alegação de Zelenka de que elas tinham um pai em comum. Que elas eram irmãs. As similaridades eram tão marcantes que você teria de fechar os olhos para não vê-las. Lumikki não estava assustada porque o pesadelo começara novamente depois de anos. Ela estava assustada com a ideia de que o sonho talvez não fosse um sonho.

Mas não fazia sentido nenhum. Se a história de Zelenka fosse verdadeira, Lumikki não estava preparada, ao menos àquela altura, para acreditar que elas nunca haviam se encontrado antes. Desta forma, Lumikki simplesmente não podia ter a lembrança de estar em frente a um espelho com sua irmã quando muito pequena.

Ela não acreditava em premonições. Elas eram grandes bobagens.

Então só podia ser uma coincidência. Ou talvez ela tivesse, em dado momento, ouvido algo aqui e algo ali quando seu pai e sua mãe brigavam, embora eles tentassem esconder discussões e criaram uma imagem apagada, que foi colorida e distorcida em um pesadelo na cabeça de uma criança. Isso parecia ser a explicação mais plausível.

Lumikki inspirou o ar noturno com golfadas lentas e profundas. O aperto do pesadelo começava a afrouxar-se. Praga à noite tinha aromas de esperanças e promessas quebradas. Ela tinha cheiro de história, poeira de rua, agridoce.

Lumikki decidiu deixar a janela aberta e tentar dormir apesar dos sons da noite e do trânsito. Ela se afastava da janela em direção à cama, quando bateram à porta de seu quarto com tamanha força e violência que, por um momento, ela pensou que a porta acabaria por se soltar de suas dobradiças.

Lumikki puxou rapidamente um lençol da cama e se enrolou para cobrir seu corpo nu. Ela agarrou o primeiro objeto que poderia ser usado para autodefesa. Seu aparato de batalha deixava muito a desejar. Ela olhou fixamente para a porta com todos os músculos tensos. Se o intruso conseguisse entrar, ela estaria pronta para chutá-lo no rosto. A porta que abria para dentro estava do seu lado. A possibilidade de surpresa estava ainda mais do seu lado.

Lumikki permaneceu totalmente quieta. Isso ela sabia fazer. Ela era *expert* naquilo.

O punho cerrado começou a bater na porta de novo, desta vez ainda mais alto.

Lumikki pensou que atirar uma garrafa de água no lugar certo poderia funcionar. Primeiro a porta, depois a garrafa. Esse agora era seu plano aprimorado de batalha.

Naquele instante, ela começou a ouvir jovens bêbados gargalhando e algum tipo de uivo que se assemelhava à cantoria.

— Gostamos de festejar, festejar! Gostamos de festejar! Vamos, cara! Não há tempo para dormir!

Os ombros de Lumikki relaxaram. Ela deixou que a mão que segurava a garrafa abaixasse. Ela sabia o que acontecera mesmo antes de um dos jovens do grupo dizer:

— Merda! É a porta errada. Não é 206, mas 208.

Lumikki voltou para a cama enquanto o bando festeiro passou a bater a porta ao lado, cantando. Estranhamente, a cacofonia vinda do lado de fora e do corredor fez com que suas pálpebras se fechassem imediatamente e ela foi levada por um sono profundo e sem pesadelos.

O homem estava acordado. Ele estava frequentemente acordado na madrugada quando todas as pessoas que moravam no prédio ainda estavam dormindo. Um pastor guardando seu rebanho. Era isso que todos pensavam e eles não estavam completamente errados. Eles eram seu rebanho, que ele criara e cuidara por muito tempo, há mais de vinte anos. Ele era paciente e perseverante. O homem dizia sempre para si mesmo que se simplesmente tivesse a paciência para esperar, sua paciência seria recompensada.

O homem andava de um cômodo para outro com passos suaves e silenciosos. Os cômodos tinham um cheiro abafado de poeira e estavam cheios de sonhos e sons de pessoas dormindo. Ele olhou para os rostos calmos das pessoas adormecidas. Algumas delas estavam de boca aberta, outras abraçavam um travesseiro como se fosse um amante de que há muito tempo se tinha saudade. Elas todas pareciam tão pequenas e frágeis, até mesmos os homens adultos. Elas eram como borboletas ao seu alcance. Ele tinha o poder de esmagá-las, transpassar uma agulha por elas e fazer delas sua própria coleção; prender suas asas, defumá-las ou privá-las de ar.

Ele as tinha em suas mãos.

SEXTA-FEIRA, *17 de junho*

5

Jiři Hašek espremeu o suco de duas laranjas em um copo e, em seguida, bebeu-o em só um gole. Um gosto fresco e doce espalhou-se em sua boca e ele quase pôde sentir as vitaminas sendo absorvidas imediatamente em suas veias, dando um impulso à sua manhã. Ele observou de sua janela o movimento matinal da cidade e, pelo mormaço que sentiu, supôs que aquele também seria um dia quente. O céu estava coberto por uma nuvem fina bolorenta, mas que cobria a luz do sol tal qual o véu de uma noiva bloqueava o calor do olhar do noivo.

Jiři sorriu para si mesmo enquanto pensava em sua imagem aos olhos de um estranho. Um homem vestindo calças sociais pretas e uma camisa branca, de boa aparência e cujo cabelo era bem cortado, em estilo clássico. Bebendo suco de laranja recém-espremido em um apartamento de sótão. Como em alguma propaganda. A personificação do sucesso e da energia.

Jiři quase começou a rir. Ele tinha apenas vinte e cinco anos. Ele tinha o emprego de seus sonhos. Todos os sinais mostravam que sua carreira estava em rápida ascensão. Ele era um jornalista investigativo de televisão, que poderia se tornar um *superstar* do jornalismo. Ele poderia ter seu próprio programa antes de completar trinta anos. Ele não tinha nenhum compromisso sério, mas isso não era devido à falta de opções, mas por sua própria escolha. Jiři ainda não queria se comprometer em um relacionamento sério naquele momento. Ele queria poder flertar, ter aventuras, desfrutar de diferentes opções e variações. Depois de alguns anos ele poderia sossegar e se estabelecer, uma vez que ele encontrasse uma mulher suficientemente interessante e atraente.

Jiři Hašek vivia seu sonho ao máximo e amava cada instante com arrogância e sem-vergonhice. Ele não tinha completa certeza se merecia sua posição e seu estilo de vida, mas não estava prestes a pedir perdão por isso.

Como caçula de cinco irmãos, Jiři aprendera a se defender e a agarrar um doce quando lhe era oferecido. Já na escola, ele notara que não seria o garoto mais inteligente da sala, mas ele tinha a maior sede por informação e ele sabia como conseguir as que o ajudariam a progredir. Às vezes, a informação era do tipo que o beneficiava enquanto prejudicava outros. Quando Jiři descobriu o relacionamento entre o professor de História e uma das professoras substitutas de Matemática, após, já anteriormente, ter visto indícios e, subsequentemente, se certificado ao abrir a porta da sala de fotocópia em um momento inoportuno para eles, mas perfeito para Jiři, ele não pensou duas vezes. Ele exigira de ambos suas notas de História e Matemática e, obviamente, as conseguira.

A informação certa abria portas que, caso contrário, se manteriam fechadas. Jiři notara muito cedo que tinha um faro, que podia ser descrito como um faro para notícias ou mesmo para furos. Ele seguiu seus estudos para se tornar um jornalista.

Jiři pensou sobre a história em que ele trabalhava naquele momento. Ele sentia entusiasmo em sua espinha. Ele sabia que se tornaria uma grande história. Que se tornaria um divisor de águas em sua carreira. As pessoas lembrariam de seu nome e de seu rosto depois daquilo.

Era completamente diferente das histórias cansadas, feitas por obrigação, sobre manifestações contra o governo, os efeitos da crise do Euro na vida de pessoas comuns, o aumento dos preços dos alimentos do ponto de vista dos comerciantes, os erros cometidos na restauração de edifícios históricos e daí em diante. Jiři sempre fizera as histórias que lhe eram pedidas. Ele tentara ser meticuloso, criativo e trazer novas perspectivas para as histórias que ninguém mais ainda havia pensado. Mas ele nunca estivera tão verdadeira e apaixonadamente entusiasmado com uma história como aquela.

Aquela era grande. Ela era tocante e humana. Era aterrorizadora e merecia ser revelada.

Jiři não estava sendo zeloso. Admitia estar sendo levado tanto pela sede de informação quanto pela necessidade de se tornar visível e também um herói. Ele não era uma daquelas pessoas esforçadas que trabalhavam nos bastidores, que ficavam satisfeitas se a verdade fosse revelada. Ele queria ter o crédito para si. As pessoas teriam de lembrar de seu nome e de seu rosto da mesma forma que se lembrariam das notícias que ele revelaria. Segundo Jiři, a verdade e a fama não se anulavam. Elas eram dois lados da mesma moeda. Falar a verdade aumentava a fama. O desejo pela fama aumentava a motivação por trabalhar buscando a verdade.

Jiři estava agora pela primeira vez trabalhando em uma história que realmente importava e que chamaria a atenção de um grande público. Passara meses pesquisando registros de igreja e árvores genealógicas. Lera relatórios policiais repetidamente, procurando por pistas e erros. Além disso, Jiři entrevistara pessoas que haviam se recusado a se expor de tanto medo que sentiam. Jiři sabia que estava lidando com um material explosivo e, consequentemente, perigoso e valioso.

Divino, diriam alguns. Demoníaco, diria ele.

Agora se aproximava o momento em que Jiři tinha de literalmente se aproximar mais um pouco do coração da escuridão. Teria de conseguir entrevistar alguém que concordasse em falar diante das câmeras, ainda que no escuro, como uma figura anônima, com a voz alterada. E ele precisaria ver as coisas com seus próprios olhos.

O calor era ameaçador e opressor. O clima parecia anunciar trovoadas, até mesmo uma tempestade, mas não havia sinais no céu.

Jiři esticou um pouco os braços, colocou uma jaqueta e jogou uma mochila nova em suas costas, na qual ele tinha um laptop superfino e instrumentos tradicionais para anotações. Ele aprendera que com alguns entrevistados, um pequeno bloco de notas e uma caneta criavam o ar de confiança e credibilidade necessário. Segundo eles, digitar em um laptop dava uma distância grande demais com o entrevistador. Era necessário estar presente do modo correto. Não se podia impor-se ou transparecer estar entusiasmado demais. Era importante saber ouvir bem. Era necessário fazer as perguntas certas e parecer interessado, mas não intrusivo.

Conduzir uma boa entrevista seguia muitas das regras de sedução de uma mulher.

Jiři notou que estava cantarolando. A canção era a música irritantemente contagiante de Carly Rae.

Hey, I just met you. (Ei, acabei de te conhecer.)
And this is crazy. (E isso é louco.)
But here's my number. (Mas aqui está meu número.)
So call me, maybe. (Então me ligue, talvez.)[6]

No fim do dia de trabalho, ele poderia se sentar em algum restaurante ao ar livre. Deixar uma cerveja gelada escorrer pela garganta, olhando para as jovens turistas que riam e testar o que ele podia fazê-las dizer com as técnicas certas de entrevista. Jiři prometeu que ele se permitiria fazer aquilo, se ele avançasse consideravelmente em sua grande história.

[6] Trecho da música *Call me maybe*, da Carly Rae Jepsen. (N. T.)

Regras criam segurança. Regras criam um lar. Regras fazem com que a vida diária de uma família funcione. Sem regras, seríamos apenas criaturas voando aqui e ali atrás de nossos desejos, seduzidas pela escuridão e pelo caos.

É por isso que precisamos de regras. Regras são nossos anjos da guarda.

A regra mais importante é esta: a família é sagrada. Os assuntos familiares são sagrados. Os assuntos familiares não são da conta de ninguém. É por isso que não se pode falar deles. Temos de nos manter em silêncio sobre eles. Se alguém tentar perguntar sobre assuntos internos da família, nada será respondido.

Pois todos sabemos disso: se alguém quebrar nossa regra mais importante contra nossa família sagrada, essa pessoa não evitará ser punida por isso. Silenciaremos qualquer um que fale demais. Sufocaremos suas palavras, que pretendem macular a brancura sagrada.

Se alguém falar, estamos todos em perigo.

O desejo pessoal jamais poderá se sobrepor ao desejo da família.

6

Lumikki pensara que se acostumaria com a vista e que não perderia o fôlego toda vez, mas ela estivera errada. Praga era encantadora vista do alto. Tudo era obviamente mais belo quando visto de cima, quando os olhos tinham tempo para varrer a paisagem até o horizonte. Lumikki sonhava poder um dia viver em um apartamento de cuja janela se pudesse ver a cidade. Que cidade, isso ela ainda não sabia dizer. Durante aqueles dias em Praga, ela começara a sentir cada vez mais que a cidade não precisava necessariamente ser na Finlândia. A Europa central era uma alternativa mais atraente. A história exalava das ruas de uma forma diferente. O andar das pessoas tinha um ritmo mais relaxado e era mais fácil se misturar e se esconder na multidão.

Para Lumikki, o castelo de Vyšehrad era um dos lugares mais impressionantes de Praga. Ela não estava mais nem um pouco chateada que Zelenka sugerira que se encontrassem lá. O monte não atraía grupos enormes de turistas como o centro da cidade ou o castelo de Praga. O barulho do trânsito não podia ser ouvido de lá. Tudo era calmo, verde e suave.

Lumikki se sentou em um banco de madeira que o sol havia esquentado e respirou fundo para encher seus pulmões e sentidos. Ela fechou os olhos. Não se incomodaria se o tempo parasse por um momento naquele instante e estacionasse. Que ela ficasse lá, no meio do verão, sem querer ir a lugar nenhum, nem sentir falta de ninguém naquele momento, mantendo seus pensamentos sob controle. Horas podiam ter passado sem que nem notasse e a manhã podia ter se tornado tarde e a tarde noite. Lumikki poderia ter adormecido por um momento e depois acordado para olhar a paisagem novamente, uma paisagem da qual os olhos não se cansavam e na qual sempre se encontrava novos detalhes.

Lumikki sentiu Zelenka se aproximar, antes que dissesse qualquer coisa ou mesmo que seus passos pudessem ser ouvidos na rua não pavimentada. Ela tinha a mesma mistura de cheiros do dia anterior, mas agora havia algo acre misturado a eles também. O cheiro de suor? Isso também, mas em um dia quente como aquele, o suor corria livremente e era mais suave, com um cheiro não tão forte. O cheiro era de outra coisa.

Zelenka exalava medo.

Ela se sentou ao lado de Lumikki, que manteve os olhos cerrados e, por um momento, Zelenka não disse nada. Lumikki tentava compreender como ela própria se sentia. Ela se sentia como se estivesse sentada ao lado de sua irmã? Aquela pessoa lhe era familiar em um nível profundo? Era fácil e natural se sentar lado a lado em silêncio?

Não.

Zelenka estava temerosa e nervosa. Lumikki também estava tensa. Mas sabia que não podia tirar conclusões disso. Aquela era apenas a segunda vez que se encontravam. E Lumikki não acreditava que a fraternidade genética seria sentida de alguma forma. Na prática, elas ainda eram duas pessoas muito estranhas uma para outra.

Na vida de Lumikki houvera apenas uma pessoa que se tornara familiar tão rápido que ainda agora ela se impressionava com isso.

— Eu não tinha certeza se você viria — disse Zelenka, iniciando a conversa.

Lumikki abriu os olhos. Por um momento a luz do sol lhe pareceu forte demais.

— É claro que vim — disse Lumikki.

Lumikki tentava ao máximo não se envolver em coisas que nada tinham a ver com ela. Mas isso tinha. Ao máximo.

— Eu devo provavelmente lhe contar sobre minha família atual — disse Zelenka.

Ela hesitou a cada palavra. Como se pronunciá-las lhe fosse repugnante ou lhe causasse dor. Brasas quentes em sua boca. Não parava de olhar ao seu redor, ainda mais do que no dia anterior. Ela fazia Lumikki lembrar de um coelho em pânico, que aguardava constantemente pelo momento em que uma raposa ou um caçador o agarrasse. Ou que ele pisasse em uma armadilha. Lumikki imaginou como uma armadilha pegaria a perna do coelho e o sangue vermelho espirraria em seu pelo branco. Ela se lembrou de seu sonho. Apesar do calor que a cercava, ela se sentiu subitamente fria.

— Quando minha mãe morreu, descobri que eu tinha outros parentes em Praga. Minha mãe jamais dissera nada sobre eles. Não entendo por quê. São pessoas boas.

Mais uma vez aquelas palavras. "Pessoas boas." Elas soavam de algum modo estranhas à Lumikki. Porém não conseguia entender a razão.

— Como você as encontrou? — perguntou Lumikki.

Zelenka balançou a cabeça e sorriu um pouco.

— Eu não as encontrei. Elas me encontraram. Elas vieram até a mim um dia depois do acidente e disseram que cuidariam de mim. Cuidariam de tudo. E cuidaram. Elas cuidaram dos assuntos relativos ao funeral de minha mãe e a toda documentação e burocracia. Elas informaram o proprietário e os inspetores de impostos e todos os lugares com que eu não saberia entrar em contato sozinha. Eu não teria sobrevivido sem elas. Elas me salvaram.

O sorriso de Zelenka se tornou mais etéreo. Estranhamente iluminado. Lumikki achou que aquele sorriso não era deste mundo. Por outro lado, era claro que, após tal experiência, uma pessoa inevitavelmente sentiria que havia sido salva. Quando a mãe de Zelenka morreu, ela tinha alguns anos menos do que Lumikki tinha então. Lumikki se perguntou como ela se sentiria se seus próprios pais morressem subitamente, ela também veneraria essa pessoa. Pelo menos por um tempo.

— Elas são um casal ou...?? — perguntou Lumikki.

Não ficara claro para ela ainda quantas pessoas o plural das palavras de Zelenka se referiam.

— Não, elas são... — A frase de Zelenka foi interrompida e Lumikki viu a expressão em seu rosto mudar de iluminada para assustada ou até mesmo aterrorizada. Zelenka olhou por cima do ombro de Lumikki. Lumikki se virou para olhar para trás e viu um homem de barba com óculos escuros e roupas de linho branco. Ela não teve mais tempo de observar o homem, pois Zelenka agarrou sua mão com força, se levantou e puxou Lumikki violentamente.

— Corra! — disparou Zelenka no ouvido de Lumikki e começou a correr.

Lumikki não ficou fazendo perguntas, simplesmente correu atrás dela. Elas correram em ruas de paralelepípedos em direção à igreja de São Pedro e São Paulo que ficava no meio do forte. Pedras arredondadas eram traiçoeiras debaixo de seus pés. Lumikki por várias vezes quase caiu. Ela olhava para trás rapidamente. Ninguém parecia segui-las. Zelenka corria surpreendentemente rápido diante dela e Lumikki tinha de se esforçar para alcançá-la. Zelenka corria como se estivesse acostumada a fugir.

Chegando à igreja, Zelenka finalmente parou e Lumikki a alcançou. Zelenka estava muito ofegante. Havia pânico em seus olhos.

— Provavelmente não era ele... — disse Zelenka. — Ele teria vindo atrás de nós. Talvez fosse outra pessoa. Óculos escuros e tudo mais. Difícil dizer.

Lumikki não tinha ideia do que estava acontecendo.

— Antes do próximo encontro, seria muito bom saber o que está se passando — disse Lumikki.

Zelenka limpou o suor da testa.

— Bem, não há nada de errado com isso. Eu só não queria que ele descobrisse desta maneira... Seria difícil para ele entender. Mas não era ele, então...

Zelenka falava consigo mesma quase como se Lumikki não estivesse lá. Lumikki se sentiu frustrada. O humor de Zelenka mudava tão rápido às vezes que era difícil acompanhá-lo.

— Do que você está falando? — Lumikki perguntou um pouco rudemente.

Aquilo funcionou. Zelenka se endireitou e estava novamente mais presente.

— Acredito que seja melhor que eu a leve para conhecer a família. Transparência é a melhor solução. Eles saberão o que fazer.

Lumikki, na verdade, não tinha certeza se ela gostava de como as palavras de Zelenka soavam.

7

A casa parecia sombria e sonolenta no meio do mais claro dos dias de verão. Era uma casa velha de madeira com três andares e uma torre. Era, de fato, surpreendentemente parecida com o modelo feito por Tuulikki Pietillä para a casa dos Moomins. Portanto, não aquele prédio em forma de cone, tornado familiar pelos desenhos animados japoneses ou pelo Mundo de Moomin de Naantalli, mas a casa angular com prolongamentos que Lumikki mais adorava estudar quando visitava o museu dos Moomins na biblioteca principal de Tampere.

Enquanto o ar misterioso e as partes surpreendentes da casa dos Moomins pareceram emocionantes de uma forma positiva, convidando-a para aventura, a casa da família de Zelenka possuía algo sombrio. Isso se dava provavelmente devido ao mau estado do edifício, a tinta descascando, varandas quase despencando e janelas sujas, algumas delas trincadas. A casa beirava um estado em que na Finlândia tornaria obrigatória a sua demolição. Uma trepadeira selvagem se espalhara avidamente pelas paredes, subindo até o telhado. A cor da casa, que certa vez fora um leite cremoso, agora parecia um cinza irregular.

O quintal também não parecia estar sendo cuidado por ninguém. A grama havia, de fato, sido cortada, mas estava amarelada e em certos lugares mal crescia. Os únicos detalhes direcionados à estética eram rosas brancas que cresciam junto à casa. Até mesmo algumas delas já haviam perdido pétalas e outras tinham a cabeça pendurada tristemente. No fim do quintal, havia uma construção estranha feita de pedra, cujo propósito Lumikki não conseguia adivinhar. Era estreito demais para ser um barraco para ferramentas de jardim e não se parecia com um banheiro externo.

A casa e o quintal realmente não pareciam nem um pouco acolhedores. E ainda menos era a cerca de ferro robusta que contornava a casa, alta e ameaçadora. As pontas afiadas da cerca falavam sua própria linguagem: não havia sentido em tentar atravessá-las. O portão era grande e pesado e estava trancado.

A casa ficava longe do centro da cidade. Inicialmente, Zelenka levara Lumikki ao metrô, depois pegaram um ônibus e, no final, elas tiveram de andar uma longa distância para chegar ao destino. A casa era afastada. Não havia outras casas na vizinhança.

Zelenka olhou para Lumikki e hesitou.

— Você acredita ser minha irmã? — perguntou.

Lumikki foi tomada de surpresa.

— Eu não sei — respondeu finalmente com honestidade. — Tudo o que você disse realmente parece plausível e explicaria muitas coisas, mas...

— Você não pode vir ver a família se você não acredita — Zelenka interrompeu Lumikki rudemente.

Do que raios aquilo se tratava? Teria Lumikki sido trazida até lá para nada?

— Temos uma regra que apenas parentes podem passar deste portão — explicou Zelenka. — E esta regra é absoluta.

O olhar de Zelenka tornou-se subitamente muito determinado, como se ela houvesse encontrado sua confiança interior, que fora perdida. Como se a proximidade de sua casa lhe houvesse dado forças para arrumar um pouco a sua postura e falar com uma voz mais constante.

Lumikki pensou sobre sua resposta. Ela não podia dizer que acreditava indubitavelmente na história de Zelenka. Eram coisas demais a ser assimiladas de uma só vez. Além disso, em sua vida, Lumikki ouvira tantas mentiras que pareciam ser verdades que ela se tornara naturalmente cética. Ela aprendera que todo mundo podia uma vez dar um belo sorriso e jurar amizade, mas, a qualquer momento, cuspir em sua cara.

Os *bullies* na escola haviam garantido muitas vezes que, se ela fizesse como mandavam, parariam com a violência e a subordinação. Isso não acontecera. Eles haviam também recrutado outros alunos para participarem de seus planos e os subornava para mentir para Lumikki sobre isso e aquilo. Que a aula do dia seguinte à Educação Física estava cancelada e que o diretor da escola havia solicitado que Lumikki fosse vê-lo. Os momentos de humilhação quando Lumikki percebera que fora enganada estavam enraizados em sua mente.

Não acredite em nada que você não possa ter certeza.

As janelas da casa olhavam para Lumikki como olhos embaçados. Ela tocou o portão de ferro, que se aquecera no sol a ponto de ficar quente demais. Lumikki sentiu que estava mais próxima de descobrir o segredo de sua família do que já estivera antes. Se ela dissesse que não acreditava que Zelenka era sua irmã, ela perderia para sempre a oportunidade de ter uma resposta final?

— Eu... — começou.

Naquele momento, ela notou que um homem aparecera na janela do primeiro andar e olhara para baixo na direção dela e de Zelenka. O homem estava na faixa dos cinquenta anos, era pequeno e tinha ombros estreitos. Sua testa tinha rugas profundas e seus olhos escuros fixavam-se sobre elas de forma hostil. Lumikki não pôde evitar estremecer. Zelenka também olhou para cima. O homem se recolheu para dentro rapidamente. Zelenka tirou a chave da bolsa e a segurou na palma de sua mão. Ela esperava pela resposta de Lumikki.

Subitamente, a porta da casa foi aberta e uma mulher, de aproximadamente sessenta anos, saiu com passos rápidos. Ela vestia roupas brancas de linho similares às de Zelenka. Uma saia longa simples e uma camisa de mangas compridas. Seus cabelos brancos em um coque bem arrumado. Já a distância, ela começou a conversar com Zelenka em tcheco em um ritmo rápido e agitado. Seus olhos tinham a mesma hostilidade do homem que aparecera brevemente à janela. Zelenka tentou responder, pelo tom da voz podia-se notar que ela estava se defendendo e tentando se explicar. Ela agarrou a mão de Lumikki com força, levantou suas mãos unidas no ar como se quisesse mostrar para a mulher que elas eram do mesmo sangue. Lumikki queria soltar-se da mão de Zelenka. Ela odiava estar no centro de uma discussão.

A mulher não se acalmou. Sua voz se elevou ainda mais. Ela abriu o portão e apertou o braço de Zelenka com tanta força que ela gritou de dor e soltou Lumikki.

— Você não pode vir hoje — Zelenka teve tempo para sussurrar para Lumikki.

Isso Lumikki também teria entendido. A recepção não fora fria. No meio do calor do verão, ela fora congelante.

A mulher jogou Zelenka para dentro do portão e fechou-o, batendo-o na cara de Lumikki. Em seguida, ela ainda fez um sinal com a mão, mandando-a ir embora e disparou alguma palavra, que parecia conter apenas consoantes. Nada disso teria sido necessário. Lumikki compreendera muito bem que não era bem-vinda.

Zelenka balançou a cabeça, parecendo resignada, enquanto a mulher a levava em direção à casa, ainda segurando seu braço com força. Zelenka parecia, subitamente, uma menininha que fora repreendida e que sabia que haveria um castigo ainda maior. Ela não se virava para olhar. Lumikki estava assustada. A situação era estranha. Um adulto se subjugando a outro, sem questionar seu tratamento de maneira alguma. De fato, já se tornara claro para Lumikki que Zelenka não era de jeito nenhum uma jovem de vinte e poucos anos normal, entretanto, tal submissão total indicava um uso exagerado do poder.

Lumikki não aguentava ver pessoas sendo reprimidas. Aquilo a enfureceu de imediato.

— Amanhã às cinco da tarde no jardim do castelo. — gritou para Zelenka, esperando decerto que a mulher mais velha não fosse por acaso uma conhecedora de línguas nórdicas.

Zelenka mesmo assim não se virou, mas Lumikki viu como sua postura melhorou um pouco. As palavras a haviam alcançado. Quando a porta da casa bateu, fechando-se após Zelenka e a mulher terem entrado, Lumikki ficou olhando para casa por um instante. Era tão louco quanto na primeira vez que a vira. Lumikki decidiu que antes do fim da viagem para Praga, ela iria atravessar o portão e a porta para examinar os segredos da casa.

SÁBADO, *18 de junho*
Madrugada

8

Lumikki sentiu mãos apertando seus ombros por detrás. Ela não se moveu, não fez um som sequer. Aquele era o jogo, que se chamava "fique como se nada houvesse acontecido". A ideia do jogo era ficar o máximo de tempo possível em silêncio, sem se virar, impassível. Podia-se mover juntamente com os movimentos do outro, mas não era permitido tomar a iniciativa em nenhuma direção. Até um dos dois não conseguir mais continuar passivo.

As mãos quentes esbarraram em seus ombros. Elas continuaram descendo lentamente pelos seus braços e subindo novamente. As mãos se moveram em seu pescoço nu, tocando-o muito levemente. Tremores frios e quentes subiram pela espinha de Lumikki. Ela queria já se virar, mas se forçou a ficar imóvel. Um som quase saiu de seus próprios lábios, mas ela rangeu os dentes e ficou quieta.

As mãos continuaram pelas laterais de Lumikki ao mesmo tempo que os lábios permaneceram em seu pescoço, provocando como leves plumas. As mãos deram um surpreendente mergulho por baixo de sua camisa e pararam, por um momento, na barriga de Lumikki, como se pensassem em que direção tomar.

Continue, Lumikki queria pedir. Para cima ou para baixo. Não importa, desde que você continue.

Após um momento de hesitação, as mãos continuaram para cima e alcançaram os seios nus de Lumikki. Ao mesmo tempo, os lábios, que estavam em seu pescoço, começaram a mordiscar, primeiro levemente, depois um pouco mais forte. Lumikki teve de se esforçar para manter-se no jogo. Mas ela não queria se render ainda. Ela sabia que quanto mais tempo ela aguentasse, mais excitante seria.

As palmas das mãos tatearam as laterais de seus seios e em seguida começaram a massagear os seios inteiros com mais força e determinação. Os dedos alcançaram os mamilos de Lumikki, que estavam tão duros que não mantinham segredo sobre como ela se sentia. Os lábios se moveram da nuca para beijar, chupar e mordiscar a lateral do pescoço e ela pensou ser puro desejo pulsante iluminado e efervescente.

Enquanto uma das mãos acariciava o seio de Lumikki e a outra escorregava da sua barriga, da lateral de sua calcinha para sua virilha, fazendo escapar um grito de prazer dos lábios de Lumikki e ela sabia que havia perdido o jogo.

E que derrota maravilhosa e deliciosa era aquela.

Lumikki acordou encharcada de suor. Ela estava molhada por toda parte. Ela olhou para o relógio, eram três horas da madrugada. O lençol que a cobria estava todo úmido e Lumikki jogou-o para o lado. Ela não se sentia nada melhor. O calor da noite e a sensação após o sonho que ela acabara de ter ainda a dominavam.

Por que não acabou? Por que não passou?

Lumikki não reclamava do clima. Ele era o que era. Ela não podia fazer nada quanto a isso. Mas por que ela não conseguia parar de sentir falta daquela pessoa? Por que os sonhos a atormentavam? Por que a saudade ainda fazia com que ela suspirasse, emborra fosse inútil senti-la? Mais de um ano se passara. Durara apenas um verão. Uma lembrança de apenas um verão já não deveria ter se apagado? Ao menos ter se tornado menos opressora, mais fácil de ser tolerada?

À medida em que o clima ficava mais quente e o verão se espreitava até a porta e a adentrava disfarçadamente, a sensação, de fato, piorava. O calor acordava seus membros e sua pele e fazia com que recordasse. A leve brisa em seu braço nu era como uma carícia. O sol aquecia como o olhar de um amante. Seu corpo, despertado pelo verão, ansiava pelo toque que há um ano estivera presente quase todos os dias.

Saudade era um sentimento com o qual era difícil viver em paz. Ela não pedia permissão. Não se importava com hora nem lugar. Era desmedida e exigente, gananciosa e egoísta. Ela turvava os pensamentos ou os tornava até demasiadamente claros, demasiadamente nítidos. A saudade queria que Lumikki se submetesse incondicionalmente. Lumikki tentou lutar contra a saudade sem nenhum resultado. Ela não queria sentir saudade, mas ela sentia. Ela não queria lembrar, mas os sonhos e o seu corpo lembravam e a faziam relembrar o tempo todo.

A saudade era física. Era uma vertigem. Era uma sensação em seu estômago. Era a necessidade de envolver seus braços em torno de si mesma, sozinha na cama, já que não havia ninguém mais para fazê-lo. A saudade era sentida na ponta de seus dedos, que sentiam falta de uma cabeça para afagar, tocando, acariciando. A saudade fazia com que seus dedos se movessem incansavelmente, brincando com o zíper de sua jaqueta, com os cordões de seu capuz, tocando pequenos objetos que estivessem ao alcance do toque. A saudade fazia com que seus dentes mordiscassem seu lábio inferior, que, no caso de Lumikki, logo estava todo partido e ensanguentado. Ela sabia que seu comportamento era tolo. Sabia que sua saudade era completamente inútil.

Sinto saudades de um país que não existe.[7]

Pois era assim. Lumikki tinha saudade de algo que não existia e de um lugar para onde ela não podia ir. Ela tinha saudade de uma pessoa que não queria lhe pertencer. Que alegava que Lumikki não podia pertencer a ela. Uma pessoa que saíra de sua vida sem olhar para trás. Qual era o sentido de sentir saudade de algo que não existia? Lumikki sentia saudade da proximidade e da confiança e da comunhão, embora ela já devesse agora ter entendido, com dolorosa clareza, que a pessoa por quem ela sentia saudade não tinha tais coisas para lhe oferecer, talvez jamais houvesse tido.

Lumikki apenas pensara nisso. Ela apenas imaginara isso. Ela queria que fosse assim.

Liekki. Fora isso que a pessoa dissera, quando Lumikki perguntara o seu nome.

— Todos me chamam de Liekki.

— Todos?

— Todos.

A questão do nome estava resolvida. E Liekki era um nome muito mais adequado para aquela pessoa. Não importa qual fosse o nome verdadeiro. Nem aquilo era um assunto tão

[7] Tradução livre do poema *Landet som icke är,* de Edith Södergran. (N. T.)

claro e simples. Liekki merecia o nome, que significa "chama" em finlandês, brilhando, ardendo, sempre em movimento, tremulando, mudando constantemente sua forma, aquecendo, queimando, belo aos olhos, mas que ao mesmo tempo emana um certo perigo.

— Não me diga que você tem uma tatuagem feita só para você de um fogo ou de uma chama? — Lumikki brincou em seu primeiro encontro.

— Pior.

— Não... verdade?

— Verdade. Tenho um grupo todo de bolas de fogo tatuado em mim.

Liekki direcionara um olhar concentrado para Lumikki por cima de sua xícara de café. O olhar gelado dos olhos azuis de Liekki era tão intenso que Lumikki sentira que estava enrubescendo, embora não tivesse razão nenhuma para isso. Pelo menos, nenhuma outra razão, senão o fato que ela começara a pensar em que parte do corpo de Liekki as bolas de fogo podiam estar tatuadas, já que não eram visíveis. Uma camisa sem mangas revelava os braços de Liekki, então pelo menos não era lá. Costas, barriga...

Liekki começara a sorrir largamente sem dizer nada.

— O que foi? — Lumikki não pode evitar dizer.

— A expressão em seu rosto.

Lumikki sentira o rubor em seu rosto se intensificar. Ela não podia fazer nada quanto a isso, embora isso realmente a incomodasse.

Liekki se apoiara por cima da mesa e curvara o pescoço para que ela visse. Lumikki compreendera imediatamente.

— A constelação de gêmeos.

— Como você sabia?

— É a minha constelação favorita. — Parecia que algum tipo de conexão os tocara e dissera que naquele instante algo único, algo especial acontecia. Não era simplesmente o fato de que eles tinham pedido o mesmo tipo de café puro, sem saber o que o outro pedira, que ambos usavam tênis vermelhos ou que ambos por acaso gostavam da mesma constelação. Lumikki já suspeitava naquele momento que Liekki poderia ser a pessoa que a entenderia com meias palavras.

A primeira pessoa assim em sua vida.

O instinto de Lumikki estava certo.

Todas as fases de conhecimento mútuo entre duas pessoas haviam sido vivenciadas com tal profundidade e intensidade que Lumikki perdia o ar. Ela provavelmente teria tido medo se tivesse tido tempo. Mas ela não tinha. Tudo acontecera tão rápido. Seu escudo protetor se desfizera instantaneamente com Liekki. Parecia que ele havia sido pulverizado. Lumikki estava totalmente desnuda e vulnerável diante de Liekki e tudo o que era dito ou feito atingia Lumikki como um projétil, que a perfurava profundamente e, em seguida, explodia em fogos de artifício de alegria, calor e luz. Ela jamais passara por algo assim. Era confuso, surpreendente e perturbador.

Coisas se tornavam conhecidas antes que fossem contadas. Era possível saber sem saber. Adivinhar a comida favorita do outro. Saber quais eram os livros favoritos do outro. Saber o que fazia o outro chorar de alegria e de tristeza. Falar ao mesmo tempo, completar as frases do outro, pensar as mesmas coisas simultaneamente, ouvir a mesma música. Mover-se exatamente na mesma sintonia de um modo que Lumikki nunca pensara ser possível. Parecia ser quase supernatural. Parecia ser um milagre.

Mas, no final, Lumikki pensara que não havia nada de supernatural sobre a conexão. Simplesmente, desde do primeiro encontro, uma forte similaridade causara uma atração mútua. Conseguia-se ler expressões faciais, gestos e posturas de uma forma que, na época, não era possível colocar em palavras, mas que eram gravados na consciência como parte maior do conhecimento que uma pessoa tinha da outra. Todas experiências que eram passadas, vistas, ouvidas, sentidas, provadas e cheiradas em suas vidas haviam deixado uma marca. E todas experiências haviam se acumulado em um profundo conhecimento. Com a ajuda disso, tornara-se possível reconhecer similaridade, conexão e forte contato. Quando algo assim acontecia, não havia nada que pudesse detê-lo. Tinha de ser bem-vindo.

Era isso que Lumikki pensava. E ela nem tentara se proteger. Ela se abrira para Liekki. Ela deixara Liekki vir, quente, e ficara no calor de Liekki. Lumikki sabia que devia suspeitar que podia se queimar, mas ela assumira o risco. Ela o assumira sem hesitar sequer um segundo.

Antes disso, Lumikki pensara que os maiores problemas seriam causados pela proximidade física. Ter sofrido *bullying* na escola durante anos deixara um medo, até mesmo uma repugnância, de ser tocada. Ela não aguentava a presença de pessoas estranhas em seu espaço pessoal. Nem mesmo de pessoas conhecidas. Ela queria poder decidir quando alguém a tocaria e como. Muito raramente ela sentia qualquer tipo de necessidade de tocar outra pessoa. Lumikki pensara por vezes que talvez jamais seria capaz de namorar ou amar alguém, pois lhe parecia repugnante deixar alguém fisicamente tão perto que fosse possível, por exemplo, se beijarem.

Mas desde que a distância espiritual fora rapidamente superada com Liekki, a distância física logo começara a se tornar insuportável. Lumikki se surpreendera como a necessidade de estar perto fisicamente, corpo a corpo, com alguém e como isso podia ser algo tão poderoso e irresistível. No terceiro encontro, estavam na casa de Lumikki, bebendo café mais uma vez, como beberiam muitas vezes em seu relacionamento, à mesa da cozinha, conversando e rindo. O café sempre tinha tempo para ficar frio até que pudessem beber toda a caneca.

Lumikki apertara a caneca com ambas as mãos para não tocar o braço de Liekki, acariciar seu rosto, correr os dedos pelos cabelos louros curtos de Liekki. Ela apertava os lábios com força contra a borda da caneca, embora o que ela quisesse era mesmo apertá-los contra os lábios de Liekki. Ela jamais passara por algo como aquilo antes. Seu coração batia forte. Internamente, ela tremia dos pés à cabeça, mas tentava disfarçar.

Lumikki tentava continuar o papo como se nada estivesse acontecendo. Em dado momento, ela não tinha mais nem ideia do que Liekki havia respondido. Ela só podia pensar em beijar Liekki. Como ela agarraria o pescoço de Liekki gentilmente mas com determinação, olhando profundamente em seus olhos congelantes e o beijaria. Lumikki jamais beijara antes, mas agora o desejo e a vontade eram tão fortes que ela nem pensava sobre coisas como beijar ou que tipo de técnica ela deveria usar.

Emoções nada tinham a ver com técnica. O sentimento era pura chama e fogo.

Liekki subitamente enrubescera. Bagunçara os cabelos e sorrira de seu jeito de moleque. Lumikki não aguentava mais. Ela colocara sua caneca sobre a mesa. O café agitara dentro da caneca, algumas gotas respingaram. Um momento mais tarde, Lumikki e Liekki estavam totalmente entrelaçados, em uma cadeira desconfortável, depois de pé na cozinha, a cadeira caiu contra o chão com um estrondo. Lumikki se apertou contra

Liekki por todos os lugares, em qualquer lugar que pudesse. Suas bocas eram uma só. Eles brilhavam um no calor do outro. Suas mãos buscavam novos lugares, onde tocar, onde acariciar.

Tudo simplesmente acontecera. Lumikki estava ao mesmo tempo no meio do que aconteceu, como parte daquilo, e, ainda assim, de alguma maneira fora. Não tinha controle de seus próprios movimentos, de seu próprio desejo. Não era capaz de dizer a si mesma para se recolher. Não teria sido capaz de parar de beijar mesmo se o mundo tivesse explodido lá fora. Ele não explodira. Ele explodira dentro de Lumikki.

Lumikki e Liekki estavam com pressa ao mesmo tempo que tinham todo o tempo do mundo. A partir de um acordo mútuo silencioso, sabia-se até onde seria bom ir. Embora a fome fosse grande, sabia-se como guardar para mais tarde. Alguma experiência podia ser deixada para a próxima vez. E parte desta para a vez seguinte. Tratava-se de uma viagem de exploração, sem mapa ou bússola e ninguém queria que a exploração acabasse cedo demais. Havia hora para tudo.

Lado a lado em sua cama, recuperando o fôlego, Lumikki pensara que a viagem estava apenas começando. E ela achava maravilhoso não saber onde acabaria.

Mais tarde aquilo também parecera duro demais para ela. Que sua viagem com Liekki fora abreviada. Lumikki sabia que teriam tido ainda muito para mostrar, ensinar e viver mutuamente.

9

É claro que Lumikki sabia. Desde o início. Desde o primeiro encontro, quando seus olhos encontraram os olhos azul-claros de Liekki por um tempo desconfortavelmente longo. Depois, ela não pôde apontar qualquer detalhe em particular sobre como ela soubera. O arco do queixo? Os ombros, que, apesar de serem musculosos, não eram tão largos? A voz, que era baixa e agradável, porém não tão grave? O andar, que tinha algo até exageradamente relaxado, uma molecagem?

Não se tratava de nenhum traço ou aspecto em especial. Liekki parecia mesmo com um garoto. Liekki era um garoto.

Mas não completamente. Ainda não. Sua forma física estava no processo de se unificar com o seu ser. Lumikki soube disso imediatamente. E aquilo não significou nada para ela. Para Lumikki, Liekki fora Liekki desde a primeira vez que o viu, não um garoto ou alguém prestes a se tornar um garoto. Nenhuma forma intermediária, mas um todo perfeito em si.

Por isso que havia sido tão estranho quando Liekki lhe falara sobre o assunto com tanta dificuldade, gaguejando e Lumikki queria simplesmente lhe pedir que ficasse quieto, pois não havia nada a contar, nenhum segredo ou revelações para ela. Palavras como transexual, mudança de sexo pareciam estranhas para Lumikki. Ela não as achava assustadoras ou desconfortáveis, não era esse o caso. A questão era que elas vinham de algum lugar externo, de definições de outras pessoas e da necessidade de categorizar e diagnosticar, encontrar as lacunas certas.

Para Lumikki, Liekki era Liekki. E, ao mesmo tempo, ele era Laura, que sorria um sorriso desinibido de uma criança de sete anos nas fotos que Lumikki encontrara na cabana de verão dos pais de Liekki, quando eles haviam passado uma semana inteira no verão lá, sozinhos.

Liekki ficara bravo quando ela encontrara as fotos.

— Pode guardar isso, por favor? Não estou com vontade de ver como eu era forçado a usar marias-chiquinhas, embora eu quisesse ter cabelo curto.

— Você está bonitinho nestas fotos.

— E tão natural como alguns poodles com um laço em suas cabeças. Humilhante.

Lumikki guardara as fotos. Mas elas ficaram gravadas em sua mente e era por causa delas que, para ela, Liekki era também aquela Laura com marias-chiquinhas e um sorriso largo.

E, ao mesmo tempo, Liekki era, para ela, Laura, que Liekki se tornaria oficialmente uma vez que o processo fosse concluído. Para Lumikki, essas três pessoas podiam existir facilmente em uma pessoa, sem qualquer tipo de conflito. Para ela, não havia nada de estranho ou difícil ou problemático. Para Liekki, o assunto não era tão simples.

— Desde criança, eu sentia que era de alguma forma errado. Que eu tinha o nome errado e as roupas erradas e que eu parecia errado. Eu me comportava errado. Ou que as pessoas olhavam para mim e assumiam algo que não tinha nada a ver com o modo como me sinto.

— Mas você não tem de se importar com os outros.

— Acorda, Lumikki! As outras pessoas por acaso existem neste mundo. E é necessário que, de alguma forma, sejamos capazes de se dar bem com elas. Trabalhar. Ter hobbies. Viver. E nem todas elas têm a mente tão aberta como você. É de se imaginar que você saberia. Você e ninguém mais.

Liekki olhara através de Lumikki. Lumikki podia ver pelo seu queixo que se tencionava que ele estava rangendo os dentes. Era de certa forma despropositado trazer o assunto da violência que Lumikki sofrera na escola. Além disso, aquilo não tinha nada a ver com mente aberta, tolerância ou sua ausência. Nem com o fato de que os *bullies* de Lumikki podiam algum dia ter pensado que qualquer coisa que ela diria ou faria poderia um dia ser certo. Ela se tornara vítima por pura sorte cruel e arbitrária. Violência fora simplesmente violência, a vontade de machucar e esmagar sua autoestima.

As conversas de Liekki e Lumikki haviam se transformado em discussões, as discussões em brigas. Eles sempre batiam na mesma tecla. Segundo Liekki, Lumikki não entendia ou era fria demais ou indiferente. Lumikki prometia repetidamente dar-lhe apoio, não importa o que acontecesse, mas, segundo Liekki, ela nunca seria capaz de entender aquela dor, a ferida e o vazio que ele sentia.

— Pois seu corpo sempre foi claramente seu. Você não teve de pensar sobre ele — alegava Liekki.

Lumikki admitia que isso podia ser verdade. Mas por que isso impediria que ela apoiasse Liekki?

— Vou ser uma péssima companhia durante os próximos estágios do processo. Honestamente, não sei nem se eu vou conseguir me aguentar. Mas sei que não terei energia para ser responsável pela felicidade e bem-estar de outra pessoa. É melhor que eu fique sozinho. Eu a machucaria inutilmente.

As tentativas de Lumikki haviam sido em vão. Ela logo chegara a essa conclusão. Liekki tomara sua decisão e tal decisão não incluía Lumikki.

Lumikki se virou de bruços em sua cama de albergue e, com seus punhos cerrados, bateu no travesseiro, que perdera seu formato e maciez há muito tempo. Pensamentos nefastos se espreitavam de algum lugar dentro de sua mente, onde Lumikki pensara tê-los enfiado bem e permanentemente.

Onde estava Liekki agora? Com quem? Ele tinha alguma nova garota, que podia se deitar nua no píer da cabana, longe dos olhos dos vizinhos? Para quem Liekki vinha silenciosamente e colocava suas mãos macias mas fortes em sua barriga, olhando como a garota primeiro começava a sorrir de olhos fechados, depois mordia o lábio inferior e respirava mais rápido. Apesar de Liekki ainda não ter feito mais nada a não ser deixar sua mão parada na pele macia de sua barriga.

Alguma outra pessoa acabou de fazer Liekki rir? Alguma outra pessoa acendeu seus olhos azuis gélidos em uma chama que era como a felicidade condensada em luz? Lumikki achava a ideia difícil de ser tolerada. Ela a rasgava por dentro e trazia um gosto ruim à sua boca. Ela notou o quanto loucos eram seus pensamentos, mas não conseguia se conter.

Isso era o que Lumikki mais odiava. O fato de ela sentir ciúmes de uma pessoa que escolhera tirá-la de sua vida. Ela tinha um ciúme selvagem de Liekki, embora ela não pudesse ter certeza se ele tinha alguém em sua vida. Talvez a incerteza fosse a pior coisa. Se ela soubesse, ela ficaria brava e rancorosa e até triste, mas tudo o que ela podia fazer agora era rolar em sua cama e socar o travesseiro, pensando se talvez seria possível...

Lumikki era capaz de imaginar o pior. Ela podia imaginar a garota mais linda, que tinha as opiniões mais pungentes e com os argumentos mais fortes e as histórias mais engraçadas e os movimentos mais suaves. E que deixava Liekki tão louco de felicidade e desejo e amor que ele nem lembrava que certa vez estivera com Lumikki.

Lumikki sabia que ela torturava-se desnecessariamente com seus pensamentos e imagens mentais. Pela manhã, todo preto pareceria novamente desbotado, sem cor, sem importância e embaraçoso. Ela se perguntaria por que raios passara seu tempo pensando algo tão louco. Decidiria que nunca teria ciúmes de uma pessoa que não fazia mais parte de sua vida de forma alguma.

Porém Lumikki também sabia que haveria novamente noites em que pensamentos nefastos não seriam detidos por nada e retumbariam sobre ela, cobrindo-a.

É um verão cheio de brisa.[8]

Lumikki se lembrou das palavras de Birk em *Ronja, a filha do ladrão*. Não fora um verão de muitos ventos. O verão acabara. O vento também tomara os cabelos de Liekki, bagunçando-o como queria. Lumikki percebera com uma clareza dolorosa que não podia mais esticar a mão e arrumar seus cabelos. Fora-lhe negado o direito ao toque. Uma distância crescera entre eles que era mais fria do que o monte Näsinkallio e mais profunda do que o lago Näsinjärvi. Lumikki não podia fazer nada. Ela não

[8] Tradução livre de uma frase do romance *Ronja, a filha do ladrão*, de Astrid Lindgren. (N. T.)

era capaz de remover a distância. Ela era incapaz de colocar o calor que ardia dentro dela entre eles. Liekki fechara a porta. Ele não aceitava mais nem o olhar de Lumikki.

Eles haviam trocado algumas palavras em seu último encontro, mas Lumikki se lembrava mais do silêncio. Não era o tipo calmo de silêncio no qual ambos se sentiam seguros. Eles haviam tido esse silêncio também, muitas vezes. Aquele silêncio era oco, congelante, opressor. Ele gritava, exigia palavras para preencher seu vazio, mas nenhum deles tinha mais palavras.

Todas as palavras haviam sido usadas. Elas haviam sido devoradas. As promessas, que não haviam, de fato, sido pronunciadas em voz alta, mas que mesmo assim os unira, haviam sido quebradas.

De repente, Liekki esticara a mão e agarrara a mão de Lumikki. Involuntariamente, Lumikki estremecera com o toque. Ele enviara milhões de impulsos elétricos, subindo pelo seu braço e por todos os lugares. Especialmente em sua barriga. Merda. Por que Liekki tinha de ter tal poder sobre ela e seus sentimentos? Lumikki fechara os olhos instintivamente e desejara que Liekki fizesse o que fizera algumas vezes antes. Elevar as mãos de Lumikki mais alto, virar a palma aberta de sua mão e apertar seus lábios contra a pele, gentilmente e ao mesmo tempo imperiosamente. Nada podia fazer Lumikki derreter tão rápido e irresistivelmente quanto aquilo.

Liekki não fizera aquilo. Lumikki sentira algo metálico em sua mão. Ela sentira Liekki fechar seus dedos no objeto e soltá-la. Lumikki abrira os olhos, levantara a mão e olhara para o objeto. Era uma corrente de prata, que tinha um dragão perfeitamente lindo enrolado em uma bola.

— Isso é para você. Pois todos deviam ter seu próprio dragão — disse Liekki suavemente.

Os olhos de Lumikki se encharcaram. Ela não sabia o que dizer. Ela nem conseguiria dizer nada. Nem mesmo agradecer.

Ela ainda tinha o colar. Porém ela nunca conseguia olhar para ele. Mesmo assim, ela se lembrava de cada detalhe, ela se lembrava da sensação de seu peso na palma da mão, as escamas rebuscadas do dragão, a frieza do metal, que começava a se aquecer em sua mão.

Seu próprio dragão.

Mas o que ela faria com um dragão quando o fogo fazia falta em sua vida?

SÁBADO, *18 de junho*

10

Não há seitas religiosas solidárias. Jiři Hašek chegara àquela conclusão depois de estudar o tópico por muito tempo, após noites insones lendo relatos, relatórios, histórias pessoais, biografias e fóruns na internet. Elas eram todas de alguma forma obscuras e perturbadoras, absolutamente todas elas. Até aquelas cuja causa referia-se totalmente ao amor e com flores e coelhinhos fofinhos e pregavam a paz mundial. Ou assim diziam. Em algum lugar nos bastidores, sempre se encontrava algo estranho, a fome pelo poder, abuso sexual, drogas, rituais perigosos ou pelo menos estranhos hábitos alimentares e má higiene.

Jiři estudara como reconhecer seitas ou cultos perigosos, tal como uma visão do mundo preto no branco centrada em um líder, de reclusão da sociedade. Apenas algumas seitas podiam se manter unidas sem um líder poderoso, frequentemente carismático e sem visões rigorosas sobre o que era mau e o que era bom, o que era certo e o que era errado. Era exatamente a certeza do fato que a verdade da seita era a única verdade que a mantinha fortemente unida e fazia-os acreditar que apenas eles haviam sido poupados para um futuro melhor seja do outro lado ou em outro planeta, por exemplo. Os escolhidos. Os especiais. Os que não acabariam em danação.

Heaven's Gate era um desses cultos, cujas atividades Jiři estudara enquanto fazia pesquisas preliminares. O culto americano fundado por Marshall Applewhite nos anos 1970 combinava cristianismo e a crença em óvnis. Os membros do culto se chamavam de irmãs e irmãos e viviam juntos em um apartamento alugado na Califórnia, que era supostamente o seu "monastério". Os membros da seita não tinham contato nenhum com pessoas de fora. Applewhite permitira que fosse castrado e cinco outros membros da seita seguiram o seu exemplo. Os membros do culto acreditavam que alienígenas do espaço trariam paz aos membros da seita e lhes ofereceriam um lar em outro planeta.

Nada de errado com isso. Pode-se acreditar no que quiser e fazer o que se quer com a vida. O assunto teve um revés trágico, entretanto, quando Marshall Applewhite fez com que os outros acreditassem que havia uma nave espacial escondida atrás do cometa Hale-Bopp, na qual as almas dos membros da seita poderiam entrar. Em março de 1997, quase quarenta membros de Heaven's Gate cometeram suicídio dentro de três dias sob a liderança de Applewhite.

E infelizmente, Heaven's Gate não foi única. Jonestown, Ramo Davidiano, Ordem do Templo Solar... Os nomes soam como templos, até mesmo bonitos, mas todos eles terminaram em tragédia e pessoas mortas. Há também cultos para os quais matar seus próprios membros não era o bastante e pessoas de fora tinham de ser as vítimas. Um culto chamado Aum Shinrikyo ou Ensinamento da Verdade Suprema planejara e cometera um ataque a gás no metrô de Tóquio em 1995. Doze pessoas morreram e milhares ficaram feridas.

Quanto mais informações Jiři coletava sobre seitas religiosas, mais repugnância ele sentia em relação a elas. Se ele pudesse, com suas próprias ações, evitar os planos de alguma seita, ele sentiria que seu trabalho não seria em vão.

Jiři olhou para o homem sentado à sua frente e se perguntou quando ele perdera sua fé e decidira quebrar a regra da confidência. O corpo do homem lembrava o de um cachorro magro, que fora espancado diariamente por toda a vida. Ele era franzino, seus ombros estreitos pareciam ainda mais estreitos por estar sentado todo curvado. Seus olhos escuros observavam constantemente as pessoas nas outras mesas do café e Jiři teve dificuldade de olhar em seus olhos por mais de alguns segundos. O homem parecia ter cinquenta e poucos anos, embora provavelmente estivesse na faixa dos quarenta. Teria havido uma época em que o homem tivesse realmente acreditado que ele mesmo fosse o escolhido de Deus? Tinha de ter havido. Senão ele não teria ficado na seita por todos aqueles anos.

O homem falara muito pouco sobre si. Nem seu nome, é claro que não, Jiři nem esperava isso. Jiři recebera uma dica de sua chefe que talvez fosse possível convencer o homem a dar uma entrevista anônima em vídeo. Sua chefe não revelara como ela conseguira o contato com o homem e Jiři não perguntara também. Ele aprendera que era melhor não perguntar demais. Se um entrevistado-chave for trazido de bandeja para você, não se deve perguntar como se conseguiu a entrevista. Sempre agarre a oportunidade quando ela aparecer. Esse era o lema de Jiři.

— Então ninguém irá me reconhecer? — perguntou o homem, confirmando, Deus sabe quantas vezes.

Jiři manteve um suspiro de frustração dentro de si e explicou pacientemente:

— É exatamente essa a ideia de uma entrevista anônima. Você ficará de costas para a câmera e até seu perfil pode ser borrado para evitar reconhecimento e podemos, por exemplo, lhe dar algo com um grande capuz para vestir. Sua voz será também completamente alterada.

As mãos do homem procuraram uma pela outra por apoio no canto escuro do café. Ele juntou as mãos como se rezasse, depois as soltou de novo, massageou uma mão com o polegar da outra, puxou suas cutículas. Jiři prestou atenção ao fato de que as mãos dos homens estavam muito secas. A seita poderia ter proibições relativas ao uso de produtos cosméticos supérfluos tais como cremes para as mãos.

— Há vinte de nós. Vivemos um pouco fora do centro da cidade — disse o homem suavemente.

— Onde exatamente? — perguntou Jiři.

O homem balançou a cabeça com firmeza.

— Não posso dizer.

Talvez ainda não, pensou Jiři. Mas ele pretendia fazer o homem confiar tanto nele que ele lhe contaria voluntariamente o endereço exato. Naquele momento, entretanto, era melhor não pressionar demais e mudar de assunto.

— Há quanto tempo está envolvido?

— Desde o início. Cerca de vinte anos. No começo, éramos um grupo menor, mas com o tempo encontramos novos membros da família.

— Como ganham a vida? Vocês trabalham?

— Alguns de nós trabalham. Toda nossa renda é dividida e usada em benefício da família. Ninguém recebe mais do que os outros. Quando nos unimos, ao mesmo tempo cedemos todos os nossos bens à família.

— Então trata-se de uma espécie de comunismo, certo? — perguntou Jiři, tentando amenizar o clima.

O homem olhou para ele de forma firme e séria. A tentativa de piada inevitavelmente falharia.

— Nossa vida é muito ascética. Precisamos de muito pouco. Todas as bobagens terrenas são afinal supérfluas e desnecessárias.

A voz do homem tinha uma mistura estranha de mágoa e orgulho. Como se ele percebesse que passara seus melhores anos em condições sub-humanas e simultaneamente sentisse que houvesse feito a coisa certa.

Jiři não queria se apressar, mas ele já esperava algo de mais concreto. Até então ele não ouvira nada particularmente alarmante, nada que lhe desse indícios de ter material para a história do século. As pessoas têm o direito de viver em comunidades e gastar todo seu tempo, por exemplo, em preces a Deus. Isso não lhe daria um furo. "Olhem, temos um grupo de *hippies* morando aqui" não era o suficiente para uma história. Nem mesmo quando as pessoas achavam interessante bisbilhotar a vida dos *hippies*. No melhor dos casos, isso daria uma reportagem do tipo "*human interest*", mas não uma grande revelação.

— Você também tem filhos? — perguntou Jiři no final. — Que tipo de castigo vocês usam se membros da seita quebram as regras?

— Não usamos o termo seita — o homem respondeu rapidamente. — Somos uma família.

— Bem, vamos então chamar de "família". Afinal de contas, o termo não é tão importante — disse Jiři.

— É sim — rebateu o homem. — Porque realmente somos uma família. Uma família branca.

Jiři escreveu as palavras em seu caderno. O termo talvez fosse, de fato, importante. Mas o que era mais importante naquele momento era que o homem confiasse mais nele, por isso ele fez questão de mostrar que dava valor às palavras do homem anotando-as.

— Algum de vocês algum dia falou sobre algum inimigo específico? Não me refiro ao demônio, mas a alguém aqui na Terra? — tentou Jiři.

Tinha de haver alguma razão pela qual ele fora enviado para examinar aquele culto em particular. Algum segredo obscuro e perigoso, que ele tinha de descobrir.

O homem olhou à sua volta, depois se inclinou para mais perto e disse em voz baixa.

— Na verdade, o fato é que aqui na Terra... — começou o homem.

Naquele exato momento alguém passou pela mesa de canto. O homem estremeceu como se uma bexiga tivesse acabado de explodir perto de seu ouvido. Jiři olhou rapidamente para a passante. Apenas uma jovem a caminho do banheiro. Cabelos castanhos curtos e uma blusa preta sem mangas. Não do tipo que ele, em circunstâncias normais, teria olhado novamente. Ela até parecia ser uma turista, então provavelmente nem havia qualquer perigo que a menina tivesse entendido uma palavra da conversa mesmo se por acaso tivesse ouvido algo.

Porém a atmosfera de confiança partira-se. O medo surgiu nos olhos do homem e Jiři não pôde dissipá-lo. Ele suspeitava que o homem não falaria mais naquele dia. Ele reconhecia o terror e o pânico que fazia o entrevistado se fechar completamente.

— Mas nós temos um acordo em que você virá para a entrevista gravada em vídeo amanhã? — perguntou Jiři. — Amanhã?

O homem não respondeu imediatamente. Ele hesitou.

Merda. Jiři tentou não parecer impaciente. Se pressionasse demais agora, poderia perder tudo. O homem fugiria e jamais retornaria. Jiři poderia acabar sem história nenhuma.

— Ao meio-dia no mesmo lugar. Daqui iremos para o estúdio, onde ninguém, exceto eu, irá vê-lo.

Jiři manteve sua voz calma, serena e convincente. Uma voz que não pedia nem sugeria nada, apenas indicava fatos claros. Ele viu como as palavras e seu tom de voz pareciam acalmar o homem. Ele fez um gesto afirmativo com a cabeça. Lentamente, mas fez. Jiři estendeu a mão. O homem olhou para ela por bastante tempo e no fim a apertou. Jiři teve de se esforçar para não estremecer com o toque da mão áspera e seca do homem. Eles deram um aperto de mãos firme e, assim, selaram o acordo.

O homem partiu primeiro, como combinado. Jiři esperou cinco minutos e só então partiu. Saiu no sol forte e quente, sentiu que entrava em outro mundo. Queria comemorar no meio de pessoas felizes vestidas com roupas de verão. Ele conseguiria sua entrevista. E estava certo que o entrevistado teria algo verdadeiro para revelar.

A mulher pressionou um lenço de papel para enxugar o suor de sua testa. O clima extremamente quente já anunciava trovoadas por muitos dias. As primeiras páginas dos jornais falavam sobre a onda de calor e o tempo seco jamais vistos antes, embora o clima não fosse na realidade tão excepcional. Não se ouvia falar muitas notícias. Normalmente o silêncio a incomodava, mas não dessa vez. Quando no início tudo é silêncio, mais alto o grito soa quando as coisas começam a acontecer.

A mulher olhou para o céu azul límpido. Ela acabara de receber uma ligação telefônica, na qual o plano de ação lhe fora confirmado. Fora reassegurada que sim, era exatamente isso. Havia o suficiente de informações dessa vez. Não havia mais necessidade para o informante.

Uma história com um herói precisa de ameaças e mortes.

A mulher olhou para um tabuleiro de xadrez sofisticado, que ela mantinha em sua mesa, embora não soubesse na verdade jogar xadrez. Ela passou a mão sobre a cabeça de um peão e depois derrubou-o com um leve empurrão. Para que o jogo continuasse na direção certa, era frequentemente necessário que certas peças caíssem.

Raios de sol acariciavam a superfície do rio Vltava e o faziam cintilar e brilhar. Era um belo dia para morrer.

Um homem de má postura andava com passos rápidos, olhando para trás e à sua volta. Parecia que nada e ninguém jamais poderia surpreendê-lo. O homem atravessava uma pequena rua lateral quando um carro cinza apareceu do nada. Ele teve tempo de ver o carro, mas não de sair do caminho.

Muitos pensamentos e emoções passaram pela cabeça do homem ao mesmo tempo. Ele sentiu que era injusto que aquilo acontecesse naquele momento, quando ele finalmente conseguira coragem para falar. Estava triste por aqueles que sentiriam sua perda.

Testemunhas oculares deram mais tarde versões contraditórias. Algumas delas pensavam que o carro houvesse tentado frear, outras disseram que não. Entretanto, o carro acertara o homem com tamanha força que ele voara em um arco de muitos metros antes de cair sobre a rua de paralelepípedos. A cabeça do homem batera nas pedras e logo uma poça vermelho-escura de sangue começara a se espalhar debaixo de sua cabeça. A primeira pessoa a chegar à cena já dissera que o homem morrera instantaneamente.

O motorista do carro cinza saíra em fuga e ninguém tivera tempo de anotar a placa. Alguém até suspeitava que o carro nem tinha placa. Ninguém conseguia se lembrar da aparência do motorista ou até mesmo se era um homem ou uma mulher.

11

Zelenka caminhou até a janela e olhou para a mesma paisagem que ela via já há cinco anos. Tílias cujas folhas mudavam de cor, bagunçadas e arrancadas pelo vento de outono; galhos nus, que ficavam brancos com o gelo no inverno e que na primavera tinham botões, que se tornavam folhas. Porém agora as árvores estavam mais desnudas do que antes. Ontem mesmo Jaro cortara galhos a mais com uma motosserra. Zelenka achava que as tílias podadas pareciam mais tristes do que o normal. A pilha de galhos cortados debaixo delas lembrava montes funerários. Zelenka olhou para o pátio cercado por uma cerca de ferro como um pesadelo sombrio e cheio de pontas afiadas. Perdida em pensamentos, ela limpou o parapeito da janela com o dedo. A tinta branca estava descascando. Os parapeitos deviam ter sido lavados. O sol quente de verão revelava sua cobertura de pó e impressões digitais. Não havia mais sentido em lavá-las. Não mais.

Subitamente o quarto pareceu pequeno. A vista parecia estreitada. Zelenka gostaria de ver mais longe. O cheiro normal ligeiramente abafado da casa, misturado a incensos, parecia sufocante, embora Zelenka normalmente gostasse dele. Normalmente ele exalava segurança.

Zelenka não entendia o que acontecera. Nos últimos cinco anos ela fora mais feliz do que poderia ter imaginado. Embora tivesse sentido o pesar da morte e da ausência de sua mãe assim como uma terrível solidão, no entanto ela estivera contente. Zelenka não queria nada mais. Recebera tanto em sua vida. Tinha pessoas que haviam cuidado dela e lhe oferecido um lar. Tinha uma crença que era mais forte e mais poderosa do que ela mesma. Zelenka sabia qual prêmio a aguardava.

Zelenka pensava que os primeiros quinze anos de sua vida haviam sido como um sonho do qual ela fora despertada. O despertar fora cruel e extremamente doloroso, mas totalmente necessário. Pois, anteriormente, Zelenka pensava que a vida era o que parecia ser. Coisas rotineiras, ir para escola, assistir à televisão com sua mãe à noite, sonhar em ter amigos, em se apaixonar por meninos que nem passavam os olhos em sua direção, em viajar para Nova York, em ser uma fotógrafa ou uma professora. A vida fora superficial e dependente em coisas materiais e assuntos mundanos. Zelenka se preocupava de forma despropositada em ser bonita e em ter estilo. Ela olhava fixamente para seu rosto no espelho por horas e horas, lamentando os defeitos de sua beleza e tentando se consertar com maquiagem para ser mais desejável. Embora ela fosse tão tímida e quieta com as pessoas que ninguém nunca prestava atenção se ela tinha belos cílios longos e curvados.

Zelenka era tão insegura. Ela era uma sonâmbula. Não via a luz divina que brilhava através do mundo e da paisagem. Apenas a Família Branca lhe mostrara isso e fizera com que percebesse que todo esse mundo terreno que nos cercava era tão pequeno e insignificante comparado à Verdade. Que, de fato, ela não era nada sem o sagrado e sem Deus. A vida de Zelenka, como a vida de todos, neste mundo era meramente a escalada de uma escada. A verdadeira porta para o lar certo seria aberta mais tarde. Então por que ficar triste se as escadas eram modestas e ocasionalmente difíceis de subir, quando, afinal, elas não significam nada comparadas à eternidade?

Porém Zelenka pensava agora sobre tudo que Lumikki lhe contara sobre sua vida e a Finlândia na última vez que haviam se encontrado. Ela pensou sobre a aurora boreal e o sol da meia-noite. Pensou em nadar por um buraco cortado no gelo de um lago congelado. Essas coisas lhe pareciam fascinantes e diferentes. Como fábulas. Por cinco anos, Zelenka não sonhara em viajar. Agora ela percebia surpreendentemente, até mesmo escondida de si mesma, que ela estava sonhando em poder entrar em um avião com Lumikki, voar para longe, para a Finlândia, pegar uma sauna, nadar em um lago com águas límpidas e sentir o aroma dos abetos. Lumikki despertara em Zelenka um desejo de usar todos os sentidos pelo menos uma vez em sua vida.

Pensamentos inúteis, tolos.

Zelenka olhou ao seu redor no quarto, cujas paredes eram cercadas por camas. Três deles dormiam lá. Não havia tapete sobre o piso de madeira. Não havia pintura nas paredes. Nem escrivaninha, nem luminárias, nem poltronas. Nada extra. Nada que pudesse desviar a mente. Eles não precisavam de estímulos. A oração era o suficiente como tarefa noturna. Quando não se está apegado demais à vida terrena, mais próximo se está de Deus.

Zelenka juntou as mãos. Pensara algo errado. Quisera algo que não se devia querer. Ela tinha de pedir perdão.

Ela teria de rezar por mais forças.

Zelenka não podia deixar de pensar que logo seriam quatro e meia. Se ela quisesse chegar a tempo para se encontrar com Lumikki às cinco horas, ela teria de partir logo. Zelenka faria a coisa certa se não fosse. Na realidade, ela estava de castigo, por ter quebrado as regras trazendo Lumikki para a casa da família sem antes pedir permissão. Disseram à Zelenka que não permitiriam ninguém entrar daquele jeito sem mais nem menos. A família teria de primeiro investigar se Lumikki era do tipo de pessoa que eles podiam confiar. Ainda não seria o suficiente para a família se ela realmente fosse a irmã de Zelenka.

Zelenka perguntara se a família duvidava de sua história. Aparentemente esse não era o problema. A questão era que a família tinha de proteger seus membros e a conexão sagrada. Ninguém podia parti-la. O dedo anular de Zelenka tocou levemente o seu dedo anular da mão direita, onde por anos ela mantivera o anel dado por sua mãe como presente de aniversário de quinze anos. Sua mãe morrera algumas semanas após o aniversário. Zelenka sempre tocava o anel quando sentia que precisava de forças ou conforto.

Na semana anterior, entretanto, Zelenka tirara o anel. Adam lhe dissera de um modo mais direto que antes que, uma vez que a mãe de Zelenka perdera sua fé e abandonara a família, manter o anel seria uma traição. Zelenka jogara o anel em um rio. Que ele se afogue lá, como sua mãe se afogara.

Forças e conforto teriam de vir de outro lugar, da fé e de Deus.

A oração de Zelenka foi interrompida por um grito de horror entre prantos vindo de baixo:

— Jaro morreu!

As mãos de Zelenka se abriram. A culpa visitou seus pensamentos ao descer. E se Deus houvesse visto seus desejos terrenos pecaminosos e a castigado mostrando que a morte poderia vir cedo demais?

Lumikki estava sentada nos jardins do castelo e olhou para a fonte que jorrava gotas de água que se pareciam com joias. As gotas de água dançavam no ar por um instante, mas depois caíam inevitavelmente e batiam na superfície da água. Lumikki pensou em como seria se as gotas de água tivessem subido subitamente para o céu como pequenos balões cintilantes. Flutuando em algum lugar distante. Ela se divertiu com a ideia que eles teriam voado até a Finlândia e precipitado sobre o rosto de Liekki como uma chuva de verão quente e suave.

Liekki. Mais uma vez ela pensava nele. A distância causava isso? Seria mais fácil nos permitirmos sentir saudades de alguém quando estamos no exterior? Isso fazia a saudade mais segura?

Segundo toda e qualquer lógica, a mente de Lumikki deveria ter espaço apenas para a estranha Zelenka, sua família ainda mais estranha e a incomensurável questão acerca do parentesco delas. Mas a saudade não seguia uma lógica tradicional. Ela tinha seus próprios meios e Lumikki não tinha controle sobre eles.

Lumikki olhou para cidade abaixo dela e, de repente, sentiu uma sensação forte de ser estranha e diferente. Ela não pertencia àquele lugar. Ela só estava lá como turista e deixaria a cidade antes que esta começasse a lhe parecer familiar. Ela não começaria a se sentir em casa lá.

Onde, de fato, Lumikki se sentia em casa?

Não em Riihimäki com sua mãe e seu pai. Nem em Tampere, ah, não, pelo menos ainda não. Ela não tinha um porto para atracar-se em algum lugar com tanta força que fizesse com que sentisse que aquele realmente fosse o seu lar.

Uma brisa quente passou pelos cabelos de Lumikki. Pensou sobre a mão, a única mão que os tocara de uma maneira que jamais quereria que acabasse. Nos braços de Liekki, ela se sentia em casa. Seu olhar fazia com que se sentisse segura, viva, inteira. Era capaz de ser apenas ela, não precisava vestir uma máscara, nem esconder nada, nem guardar segredos, nem omitir nada de si. Ela era feliz. Sentia-se amada.

O vento trouxe o aroma das flores, das árvores e do verão de forma tão poderosa que Lumikki teve de se sentar. A sensação de ser uma estranha e de não ter um lar começou a envolvê-la como um tule. Ela começava em seus pés, amarrando-os um ao outro, em seguida continuava em seus quadris, amarrava suas mãos em suas laterais, passava em volta de seu pescoço e amordaçava sua boca.

E se jamais se sentisse em casa sem Liekki?

E se jamais fosse capaz de amar outra pessoa?

E se perdera o único ser humano com quem ela poderia ser realmente feliz?

Uma noite em julho. Eles haviam conversado por muito tempo e nenhum dos dois estava com sono. O sol raiara. Sua luz entrara no quarto da cabana de forma suave e protetora, após se apagar nos galhos das árvores junto à janela. Eles estavam deitados de lado na cama estreita de frente um para o outro. Liekki olhara cuidadosamente para Lumikki, como sempre fazia. Seu olhar não era crítico. Era cálido e cheio de amor.

— Uma pergunta honesta, Lumikki — dissera Liekki.

— Vá em frente, pergunte — respondera Lumikki.

— Com que frequência você pensa que é bonita?

Lumikki ficara quieta por um instante.

— Honestamente: nunca.

Era verdade. Ela sofrera *bullying* e fora chamada de feia por tantos anos que ela acreditara. Às vezes ela pensara que era, de fato, feia. Ela pensara que essa podia ser a razão. Que era tão feia que os *bullies* tinham de simplesmente cuspir na sua cara, bater nela. Sua aparência os enojava tanto que não conseguiam se controlar. Então Lumikki entendera que não era verdade.

Depois disso, ela começara a pensar que não era feia, mas totalmente comum. E, na realidade, sua aparência não importava. Ela não queria parecer bonita aos olhos de outra pessoa. Não até encontrar Liekki.

— Era isso que eu temia — disse Liekki. — Então agora vou lhe contar tudo o que há de bonito em você.

Ele falara com tanta confiança e de uma forma tão oficial que Lumikki começara a rir.

Liekki levantara a mão e tocara levemente a testa de Lumikki junto ao cabelo.

— Sua testa. Você tem uma testa que se pode ver que debaixo dela há milhões de pensamentos.

O dedo de Liekki continuara sua carícia nas sobrancelhas de Lumikki.

— Suas sobrancelhas e olhos, a combinação. Você tem olhos brilhantes cujo formato é perfeito. E um olhar tão intenso que eu engasguei minhas palavras quando eu a vi.

O coração de Lumikki começara a bater forte e seus olhos a lacrimejar. As palavras de Liekki tocavam-na em carícia tanto quanto a sua mão. Elas encontravam pontos dentro de Lumikki que lhe aqueciam e acariciavam.

O toque em seu rosto. Leve como uma pena.

— O arco de seu queixo. Ao mesmo tempo esbelto e forte.

O dedo tocando seus lábios. Agora o toque começava a ter um reflexo mais amplo e a ser sentido por todo seu corpo. Em sua barriga. Mais em baixo.

— Seus lábios. Você tem os lábios mais lindos que já vi. E os mais macios que já beijei.

Lumikki queria que ele a beijasse imediatamente, mas ele continuara movendo o dedo pela garganta de Lumikki até a clavícula.

— Garganta e pescoço inacreditavelmente bonitos. E a forma que seu pescoço e seus ombros se unem. E sua clavícula, que é igual a asas de pássaros.

A respiração de Lumikki já estava pesada. Ela estava surpresa com a ligação íntima entre uma mão delicada e o desejo. Ao mesmo tempo que as palavras de Liekki a deixavam embaraçada, perplexa, tocada e agradecida, suas mãos despertavam nela uma necessidade quase animalesca. Que alguém a via tão bela. De um modo completamente diferente de que qualquer outra pessoa já a vira. Aquilo era quase dolorosamente bom.

A mão de Liekki continuaram mais para baixo. A respiração de Lumikki não era mais estável, quando ele sussurrara em seus ouvidos:

— Seus seios...

Depois disso, as palavras haviam desaparecido. Toques haviam continuado a história.

Ela também tinha outro Liekki. Seu nome era Mapa do Tesouro. Ou, na verdade, havia duas versões: um Mapa do Tesouro espiritual e um Mapa do Tesouro físico.

O Mapa do Tesouro espiritual era quando o criador do mapa escrevia ou desenhava em um pedaço de papel palavras ou figuras para outras palavras e figuras. Era permitido àqueles que liam o Mapa do Tesouro andar pelas trilhas da forma que queriam. O criador do Mapa do Tesouro, por outro lado, falava como as palavras e as figuras na trilha escolhida estavam relacionados e o que estava por trás das histórias.

Desta forma, peça a peça, Lumikki e Liekki haviam aberto as histórias um do outro. Sonhos que eram quase frágeis demais para serem contados em voz alta.

O Mapa do Tesouro físico revelava baús, que eles haviam mantido trancados há muito tempo. Eles davam as chaves um para o outro e diziam: "abra, eu confio plenamente em você".

O Mapa do Tesouro físico também pedia confiança. Nele, o criador do mapa desenhava uma figura de seu corpo e marcava os lugares nos quais ele ou ela queria que algo fosse feito. O leitor do mapa podia escolher em que ordem prosseguir e quantos passos tomar por vez. O criador do mapa sempre falava em cada lugar como deveria ser tocado, beijado, mordido ou simplesmente olhado. O leitor do mapa tinha de obedecer estritamente às regras.

Os Mapas do Tesouro não tinham um fim em si mesmo. Eles eram um jogo ameno que podiam ser parados a qualquer hora. Podia-se jogar fora os desenhos e cartas e se concentrar em como as situações levaram naturalmente a outras situações, sem serem forçadas, como que automaticamente.

Houve um tempo em que o jogo entre Lumikki e Liekki havia sido real, claro, agradável e natural. Lumikki frequentemente tinha sonhos sobre aquela época. E cada vez que sonhava, acordar parecia ser tão violento e errado quanto antes.

Por que era necessário acordar quando a realidade do sonho era tão melhor e certa?

Ela mentira. Ela contara coisas que poderiam ter sido verdade, mas não eram. Criara uma história com cuidado e esmero e não seria pego.

Seria mentir tão ruim, afinal? Se a mentira fosse mais bela do que a realidade, se a mentira desse mais ao mentiroso e ao interlocutor do que a verdade.

A mentira se tornou uma história, a história se tornou a verdade.

Ela não tinha arrependimentos.

Ela queria ver o fim daquela história, a última página. Ela assumiu o risco que o fim pudesse ser cruel. Seu fim.

12

Lumikki checou as horas em seu celular. Já eram cinco horas. Não havia sinal de Zelenka. Podia muito bem ser que ela não viesse, afinal. O celular pesava contra a palma de sua mão. Como que sugerindo: "Ligue para seu pai. Pergunte diretamente". Lumikki começara a considerar aquela ideia também. Ela pensara em um ataque surpresa. Que ela primeiro falasse do tempo e de todo tipo de coisas seguras e então atacasse por trás com toda força, perguntando se era verdade que seu pai tinha uma filha aqui em Praga. Ela ouviria imediatamente pela voz de seu pai se ele estivesse mentindo. Ou pelo menos achava que ouviria. Ela não podia dizer se seria possível que seu pai fosse um mentiroso ainda melhor do que ela pensara.

Se Zelenka fosse filha de seu pai e tudo o que Zelenka contara fosse verdade, Lumikki conhecia seu pai ainda menos do que imaginara até então. Mas os filhos algum dia conhecem seus pais? Pois eles normalmente veem uma parte, uma parte pequena. Eles não sabem como os pais eram enquanto crianças, com o que sonhavam quando adolescentes. Mesmo que os pais a tenham contado, pois as histórias são sempre floreadas precisamente porque são os próprios pais quem as contam para os filhos.

E eles jamais haviam conversado sobre esses assuntos na família de Lumikki. Não era o tipo de coisa que faziam. Às vezes Lumikki tinha a impressão de ter vivido os primeiros dezesseis anos de sua vida com completos estranhos, conhecidos no máximo.

Eram cinco e meia. Lumikki se levantou do banco branco de madeira e esticou um pouco as pernas. Ela andara muito durante o dia. Ela gostava de andar. Assim era possível ter uma ideia melhor da cidade, melhor que em um bonde, ônibus ou metrô. Lumikki se perguntou se devia partir. A fome também começava a apertar em seu estômago.

Ela sentiu o peso do celular em sua mão. Talvez já fosse mais do que hora de tentar um golpe para quebrar a vitrine de silêncio de seu pai. O número de seu pai estava em P. P. para "pappa". Lumikki ligou antes que pudesse mudar de ideia.

A ligação foi atendida quase imediatamente. Mas quem atendeu o telefone não foi seu pai, mas sua mãe.

— Peter saiu para andar e parece que ele esqueceu o celular em casa. Você tem algo urgente para falar com ele? Claro que pedirei para que lhe telefone assim que...

Lumikki sentiu a chegada de uma dor de cabeça assim que ouviu o tom de voz preocupado de sua mãe.

— Não, não é isso... Só estava pensando, quando foi que o papai esteve aqui em Praga — perguntou rapidamente.

A ligação ficou silenciosa por um momento. Agora é claro que sua mãe diria que seu pai nunca estivera em Praga. Aquela seria a resposta lógica a ser dada uma vez que seu pai jamais dissera uma única palavra sobre uma visita à cidade, nem mesmo enquanto Lumikki planejava a viagem.

— Vocês falaram sobre isso? Eu pensei que Peter não... Não quisesse lembrar disso. Pois isso foi há muitos anos. Aqueles anos terríveis.

A voz de sua mãe ficou estranha. Lumikki jamais ouvira sua mãe com aquela voz. Ela era ao mesmo tempo triste e honesta, reservada e aberta. Como se sua mãe quisesse dizer mais. Naquele instante a barreira de proteção de sua mãe estava mais baixa do que o normal. Aquela havia sido a pergunta certa.

— Algo aconteceu aqui? — Lumikki a atingiu com outra pergunta direta imediatamente.

Ela não podia se afastar agora que deixara a porta um pouco entreaberta.

— Não, não é isso... — sua mãe negou.

E então Lumikki ouviu alguém correndo sobre o caminho arenoso no jardim. Zelenka. Ela chegava sem fôlego e vermelha, claramente chateada.

— Tenho de desligar. Vamos conversar mais tarde — disse rapidamente Lumikki e desligou o telefone.

A hora não era boa. O segredo estava prestes a ser revelado de duas direções ao mesmo tempo, mas as revelações se colidiram e se atrapalharam.

— Jaro está morto — disse Zelenka, já de cara.

— Jaro?

— Da nossa família. Atropelado, morreu na hora. Você provavelmente o viu também na janela.

Lágrimas começaram a correr dos olhos de Zelenka. Lumikki lhe ofereceu um lenço de papel de seu bolso e Zelenka o aceitou de maneira submissa e natural, similar a uma criança que pega um lenço de seus pais.

Lumikki certamente se lembrava do homem, seus ombros estreitos e o olhar penetrante e sério de seus olhos escuros. E, ao mesmo tempo que ela se lembrava claramente do rosto do homem, também se lembrava que vira o homem naquele mesmo dia. Em um café, falando com algum jovem que escrevia em seu bloco de anotações. Lumikki passara por eles no café a caminho do banheiro. Naquele momento, ela pensara somente que uma entrevista acontecia e não conseguira fazer a conexão entre o rosto do homem mais velho com o rosto daquele que ela vira na janela, agora ela podia.

Uma entrevista e uma morte acidental no mesmo dia. Lumikki sentiu imediatamente que não podia ser uma coincidência.

13

Cerca de um metro e oitenta de altura. Cabelos castanhos bem escuros, quase pretos. Olhos castanhos. Jeans claros, ligeiramente gastos, que tinham a aparência de terem passado por algumas experiências, mas deixavam notar que eles eram caros e que tinham aquela aparência desde que haviam sido comprados. Camisa de cor clara, talvez fosse xadrez? Ou talvez listrada. Lumikki não tinha certeza. Entre vinte e trinta anos. Era difícil dizer quando se tratava de homens que se pareciam meninos ao mesmo tempo que eram maduros.

Lumikki mordiscava uma baguete e tentava se lembrar melhor. Ela sabia que aquilo não seria o suficiente. Com apenas aquelas informações não haveria chance alguma de encontrar o entrevistador de Jaro em uma cidade grande como aquela.

Por que ela estava tentando? Um homem que lhe era totalmente estranho fora atropelado por um carro e morrera. Isso não deveria tê-la abalado de forma alguma. Porém abalara. Pois, se a morte de Jaro não fora um acidente, era possível que Zelenka também estivesse de alguma forma em perigo. E Zelenka podia ser sua irmã.

Lumikki não dissera uma palavra à Zelenka sobre ter visto Jaro naquele dia em uma situação que parecia ser uma entrevista. Era melhor que, naquele momento, Zelenka não soubesse daquilo. Era desnecessário deixá-la extremamente assustada. Pois Lumikki podia ver que Zelenka já estava assustada. Elas tiveram apenas meia hora para conversar antes que Zelenka fosse embora. E a maior parte do tempo fora passada com Lumikki tentando confortar ao máximo Zelenka, que estava aos prantos, enquanto ficava repetindo algo totalmente sem lógica sobre Jaro não dever ter morrido ainda, mas que isso realmente não tinha importância, mas que tudo, mesmo assim, dera errado. Lumikki não conseguira extrair nada mais racional dela.

Zelenka também se desculpara por não ter sabido como se comportar para fazer com que sua família recebesse bem Lumikki. Mas isso ainda aconteceria. Zelenka fora afobada, tentara fazer com que as coisas acontecessem imediatamente, embora ela devesse ter aprendido a ser mais paciente. Havia hora para tudo. Lumikki não dissera que a ideia era honestamente assustadora para ela.

Mais uma vez, tudo fora deixado no ar quando Zelenka tivera de partir. Aparentemente, não era realmente permitido que ela saísse, mas tinha de ver Lumikki. Quando Lumikki perguntara porque Zelenka não tinha um celular para que pudessem se comunicar com mais facilidade, Zelenka simplesmente respondera:

— Claro que não. Eles são supérfluos.

Elas haviam combinado de se encontrar no dia seguinte no monte Petřín. Quando Lumikki perguntara por que elas sempre tinham de mudar o lugar de encontro, Zelenka simplesmente dissera que era melhor não ficar marcada por nenhum lugar.

Lumikki não perguntou mais nada. Àquela altura, ela entendera que Zelenka se comportava estranhamente. Ela tinha certeza que havia uma razão para o comportamento estranho e que ela descobriria o porquê.

O dia começou a se tornar noite em torno de Lumikki. Ainda estava quente e ela sentia o leve odor de suor vindo de sua camisa sem mangas. Deveria ao menos enxaguá-la com água no pequeno banheiro do albergue e deixá-la secando durante a noite. Ela partira em viagem com muito pouco e agora isso começava a perturbá-la à medida que suas roupas limpas acabavam. A ideia de ir às compras nas ruas comerciais de Praga em meio a centenas ou milhares de turistas não lhe era também atraente. Além disso, esta viagem se tornara algo complemente diferente de férias comuns para descanso.

Lumikki ponderou sobre suas opções. Não podia ir falar com a polícia de Praga, pois o que ela diria? "Ei, um homem foi atropelado e morreu e eu talvez o tenha visto falando com um jornalista naquele mesmo dia? Não eu não sei nada sobre o homem, a não ser o fato que seu nome é Jaro e que ele mora em uma grande casa de madeira. Um grupo estranho de pessoas vivem lá, mas eu ainda não sei por que eles formaram uma comunidade. Naquela comunidade, há uma jovem envolvida, que pode ser minha irmã ou meia-irmã, para ser mais exata." Ririam da cara de Lumikki. Ou ela seria colocada em uma cela para que suas alucinações passassem ou seria mandada de volta às ruas para vagar como todas as outras pessoas loucas inofensivas.

Ela poderia ter ligado para casa e explicado a situação da melhor maneira possível para seu pai e sua mãe e pedir-lhes conselho. Qualquer pessoa normal provavelmente faria isso. Lumikki não era normal nem sua família. Eles simplesmente não se comportavam assim. Além disso, ela estava certa que, desde o último telefonema, sua mãe havia retomado a compostura e percebido que ela falara demais. No pior dos casos, Lumikki seria forçada a voltar para casa e nada seria resolvido.

Não havia outra opção, senão tentar resolver a situação sozinha, usando sua própria cabeça. E era isso que ela fizera a maior parte de sua vida.

Lumikki tentou se lembrar bem. Ela tinha de pensar em um traço do entrevistador que a ajudaria a encontrá-lo. Sabia que seu cérebro constantemente gravava até os menores detalhes. Eles apenas tinham de ser escavados. Não, o entrevistador não usava anel. Então ele não era casado. Embora, na verdade, aquela informação para nada serviria. O homem segurava o bloco de maneira confiante e experiente. Aquela não era sua primeira entrevista. O homem era provavelmente um jornalista.

Lumikki fechou os olhos e em sua mente voltou ao momento em que viera do banheiro. Ela passou bastante perto da mesa. Seus olhos tocaram a superfície do bloco. Ela pensou que, mesmo se soubesse a língua, não seria capaz de entender o que estava escrito nas anotações, pois a letra do homem era um garrancho. Isso foi apenas uma ideia passageira, sem sentido na hora. Mas, em contraste com os garranchos, havia algo muito claro no bloco. Lumikki prestara atenção no contraste. O que era?

Pense, pense, Lumikki esforçou-se. Um grupo de turistas passou por ela às gargalhadas. Lumikki manteve os olhos fechados. Seus pensamentos não podiam oscilar nem um pouco agora, pois ela estava prestes a lembrar de algo.

No canto de cima do bloco. Muito pequeno. Um logo. É claro. Era um bloco de uma empresa. Lumikki se lembrava de uma forma redonda e da cor laranja. E algo mais também?

Algum símbolo? Era um número. O logo era familiar, pois ela já o vira antes, mas onde?

Lumikki abriu os olhos.

Laranja oito. Ela via agora com muita clareza em sua mente, mas ainda não conseguia associar com nada. Ela tomou um gole de água e começou a andar. Talvez ela lembrasse se andasse um pouco. Subiu as escadas das margens do rio até a ponte. Havia um anúncio rotativo junto à ponte. Uma mulher rindo, fazendo propaganda de um novo desodorante de longa duração, sumia de vista e era substituída por um anúncio de uma série de TV policial. As pessoas não pareciam ficar cansadas de assistir toda noite como alguém matou alguém e outros investigavam o que acontecera.

Lumikki já estava prestes a continuar em frente quando notou um logo na parte de baixo do anúncio. Um círculo laranja com o número oito no meio.

É claro. Canal oito de TV.

Agora Lumikki sabia onde o entrevistador trabalhava.

14

Havia tantas superfícies de vidro que o prédio parecia irreal. Mais intensos do que no logo, o cor-de-rosa, o roxo e o laranja do sol de fim de tarde refletiam-se no vidro. Não foi difícil encontrar os escritórios da empresa de mídia Super8 no centro da cidade. O logo rotatório sobre o telhado do prédio de vidro podia ser visto a distância. Lumikki olhou pela parede de vidro para o saguão, onde uma recepcionista lixava as unhas com muita concentração. Aparentemente alguns turnos iam até tarde.

Lumikki havia feito sua lição de casa rapidamente e procurado a empresa de mídia no Google em seu celular. Ela descobrira que se tratava, de fato, de uma empresa de multimídia que, além do canal de televisão e de seu próprio noticiário, controlava tabloides, um grupo de revistas e diversos sites. Super8 era realmente "super". Tinha influência.

Lumikki hesitou um pouco. Ela não tinha um plano de verdade. Então decidiu agir da maneira que entendia ser bom toda vez que estava na dúvida. Fingiu ter completa certeza do que fazia. Isso funcionava em noventa por cento dos casos. Ela melhorou a postura e entrou através das portas giratórias.

A recepcionista que lixava as unhas não ficou nem um pouco contente em ver uma jovem mochileira que obviamente passara o dia todo andando e suando com o calor. A expressão em seu rosto já pedia que Lumikki fosse embora imediatamente na direção que ela viera sem dizer nada em voz alta. Lumikki não deixou a expressão de seu rosto perturbá-la.

— Com licença, estou procurando um homem. — disse Lumikki.

Agora o rosto da recepcionista parecia estar dizendo: Não estamos todas, *darling*?

— Infelizmente, eu não lembro o nome dele, mas ele trabalha aqui. Tínhamos uma reunião marcada — continuou Lumikki com determinação.

A recepcionista a mediu dos pés à cabeça e parecia pensar se devia chamar os guardas imediatamente. Mas então ela suspirou e disse:

— Você terá de me dar uma descrição melhor do homem. Temos muitos homens trabalhando aqui.

Lumikki descreveu a aparência do homem com o caderno com o máximo de detalhes que pôde. A recepcionista franziu a testa enquanto pensava. Lumikki fez uma breve estimativa de sua idade, que era talvez entre vinte e cinco e trinta e cinco. A recepcionista parecia ser uma mulher que não tinha encontros com tanta frequência quanto gostaria, mas que prestava atenção em homens bonitos e em seu estado civil. Então Lumikki mordeu o lábio inferior, inclinou-se sobre a mesa e falou baixo para assegurar confidência.

— Cá entre nós, ele é um tremendo gato. E sem aliança.

Os olhos da recepcionista se iluminaram.

— Então deve ser Jiři! Mas ele provavelmente já terminou por hoje e foi para casa. Você tem certeza que... Ah, lá vem ele, afinal! Jiři, você tem uma visita aqui.

Lumikki viu um jovem saindo do elevador. Sim, ele era o mesmo homem que Lumikki vira antes. Ele disse algo para a recepcionista em tcheco. A recepcionista apontou para Lumikki. Ele franziu a testa. Lumikki sabia que teria de agir rápido antes que os guardas viessem e a jogassem para fora.

— Tenho informações para você a respeito do homem que entrevistou hoje. Ele está morto — disse Lumikki.

Foi certeiro. Lumikki viu surpresa e interesse nos olhos do homem chamado Jiři.

— Vamos conversar em outro lugar — disse o homem, agarrando a mão de Lumikki.

A recepcionista ficou para trás e, com uma expressão um pouco melancólica, suspirou e deu de ombros antes de continuar a cuidar das unhas.

O homem levou seu celular a orelha. Ele tinha de ligar o mais rápido possível. Eram essas as instruções. A ligação foi atendida imediatamente.

— Uma jovem acabou de pegá-lo no escritório.

— Uma jovem?

— Sim. Ela falava inglês. Parecia uma turista.

— Não podia ser uma de suas amantes?

— Ela realmente não era do tipo. Além disso, ela disse que sabia algo sobre a morte do Alvo 1.

A ligação ficou silenciosa por um momento.

— Você os está seguindo? — disse uma voz ao final.

— É claro. Deixe que a garota revele sua informação. Isto pode ser a tacada certa neste estágio.

— E depois disso?

— Não sabemos quem é a garota. Não podemos deixar que ninguém estrague nossos planos a esta altura. Quando eles se separarem, elimine a garota.

— Entendido.

O homem já estava prestes a abaixar o telefone, quando a mulher deu mais um conselho:

— Depois desta ligação, tire uma foto da garota e a envie para mim e para o Pai. Se parecer que a garota escapará de você, será bom saber como ela é.

Então a mulher interrompeu a ligação, antes que o homem tivesse tempo de dizer alguma coisa. Ela sufocou um rosnado que quase saiu da boca do homem. "Se parecer que a garota escapará de você." O homem não tinha o costume de deixar alvos escaparem. Seu trabalho era se assegurar que quando um cliente queria parar um alvo para sempre, o alvo parava para sempre. Não era à toa que ele ganhara a reputação de ser o melhor e mais confiável matador de aluguel da cidade.

Sua confiabilidade também se apoiava no fato de que o homem não ficava nervoso se seu cliente estivesse nervoso. Ele seguia ordens minuciosamente. Então levantou seu celular e fingiu estar tirando fotos de prédios antigos com seus detalhes rebuscados, embora na realidade estivesse fotografando a garota de cabelo curto. Ele tirou três boas fotos de perfil com as quais a garota seria facilmente reconhecida.

A garota parecia jovem e determinada, mas não exatamente perigosa. Eliminá-la seria um exagero. Mas a ética profissional do homem não era questionar suas ordens. Ele não sentia nenhum dó ou compaixão pelos seus alvos. Se ele sentisse, ele não seria mais capaz de fazer o seu trabalho.

O matador enviou a foto ao mesmo tempo para sua cliente e para o homem chamado Pai. Assim, eles poderiam, se quisessem, ver como a garota era quando ainda estava viva. Ela não ficaria viva ainda por muito tempo.

Quando Lumikki se sentou na cama do albergue duas horas mais tarde, sua cabeça estava pesada com pensamentos e questionamentos e suas roupas suadas pareciam insuportáveis. Ela tinha de tomar um banho. Imediatamente. Debaixo do chuveiro frio seria mais fácil pensar sobre as coisas que aquele Jiři Hašek lhe falara e refletir sobre como elas iriam influenciar o que faria a seguir.

Ela tirou os shorts, blusa, calcinha e sutiã e foi para o banheiro. Empurrou uma tampa de metal ligeiramente enferrujada para fechar a pia, jogou as roupas ali e deixou que a água corresse sobre elas. Misturou um pouco de sabonete à água. Aquilo tiraria grande parte do cheiro de suor.

Lumikki já sabia que o chuveiro era bem fraco. Ela não deixou que isso a incomodasse. A água fresca, quase fria era gostosa contra a pele. Ela limpava seus pensamentos.

Jiři dissera que...

Subitamente Lumikki ouviu um barulho estranho e parou para ouvir. Parecia que alguém tivesse tentado entrar em seu quarto com a chave errada. Teria alguém mais uma vez esquecido o número do quarto devido a uma insolação ou bebedeira? Mas ela não ouviu nenhuma arfada ou palavrões. Lumikki se enrolou em uma toalha e estava pronta para sair pela porta para dizer poucas e boas para a pessoa mexendo em sua porta quando ouviu a fechadura destravar e a porta abrir lentamente. Lumikki ficou paralisada no banheiro e ouviu em silêncio.

Alguém estava andando pelo quarto.

Os passos eram regulares e silenciosos. Como se alguém muito determinado não quisesse fazer barulho.

Uma faxineira? Não àquela hora da noite. Além do mais, faxineiros gritavam *cleaning* ou *room service*.

Um ladrão? Aquela parecia a alternativa mais plausível. Lumikki torceu para que o ladrão levasse apenas seu dinheiro e não, por exemplo, seu passaporte.

Não havia janela no banheiro. Nenhuma rota de fuga. A esperança de Lumikki era que o ladrão levasse tudo o que quisesse e fugisse do local. Ela percebeu que sua esperança era inútil ao ver a maçaneta da porta do banheiro se mexer.

Um homem robusto, alto e bronzeado abriu a porta e quase tropeçou na toalha jogada no chão. Ele puxou a cortina do chuveiro para o lado, mas não havia ninguém lá. O homem tocou as roupas de molho na pia. Ele tinha um cheiro que era uma mistura de loção pós-barba barata e suor de homem.

Lumikki olhou para o topo da cabeça do homem. Estava começando a ficar calvo. Ele mesmo provavelmente não havia percebido, pois o ponto calvo era muito pequeno no meio dos cabelos pretos. Lumikki tentou não respirar. Ela sabia que, se tentasse não respirar, a qualquer hora o tiro sairia pela culatra com uma expiração incontrolável, que faria muito mais barulho do que a respiração compassada normal.

Lumikki se segurava a um cano do ar-condicionado sobre o banheiro, sem se mexer. Felizmente, o albergue de uma estrela e meia investira no teto do banheiro tanto que aqui e ali havia algumas tábuas para proteger o cano. Lumikki conseguira se apertar entre elas.

O homem olhou à sua volta. Ele até bateu nas paredes. Ele não olhou para cima. Pelo menos não ainda.

Quem diabos era ele e o que estava procurando no quarto dela? Lumikki sentiu uma gota de água correr de seu cabelo molhado até seu nariz. Como que por milagre, ela ficou lá por um instante. Lumikki não seria capaz de limpá-la de maneira alguma. Sabia que quando a gota caísse, cairia direto sobre a cabeça do homem, no ponto calvo. Então o homem olharia para cima.

As mãos e os pés de Lumikki tremiam com o esforço. Era difícil ficar parada. Ela tinha de ficar parada.

De repente, ouviu-se pessoas cantando no corredor. Os festeiros do quarto ao lado.

A gota de água começou a cair da ponta do nariz de Lumikki.

O homem se virou e saiu do banheiro. A gota de água caiu com segurança e suavidade sem fazer um único som sobre a toalha de Lumikki.

O homem esperou que os festeiros bêbados passassem pelo quarto e partiu.

Lumikki esperou até que os passos do homem estivessem tão distantes que ele certamente já partira. Depois ela desceu da tubulação do ar-condicionado tremendo da cabeça aos pés e, por um momento, ela caiu no chão do banheiro em cima da toalha.

O cheiro do homem ainda pairava no ar, alfinetando as narinas de Lumikki.

Quando finalmente conseguiu se levantar, ela checou sua bagagem. Nada fora levado. O intruso não era um ladrão. Ele estivera procurando pela única coisa no quarto, e essa coisa era Lumikki.

Lumikki sabia que não seria mais seguro ficar no albergue.

DOMINGO, *19 de junho*
Madrugada

15

Ping, ping, ping.

Pingos de água caíam sobre a calçada. A sacola fina de supermercado tinha aparentemente um buraco ou um rasgo de onde a água conseguia correr. Lumikki colocou o mais rápido que pôde suas roupas molhadas que estavam de molho na sacola e todas suas outras coisas em sua mochila. Ela levou cinco minutos para fazer as malas. Agora ela estava de pé na rua pensando no que fazer.

Ela poderia tentar encontrar outro albergue barato, mas seria ela aceita em algum lugar àquela hora da noite? Já eram mais de onze horas. Ela não gostava da ideia de correr de um albergue para outro na esperança de encontrar um quarto em algum lugar. Também não lhe agradava a ideia de começar a procurar na internet em seu celular ou em algum café, tentando encontrar um lugar para ficar.

De repente, Lumikki se sentiu cansada. Ele teve vontade de ligar para casa e pedir para sua mãe e seu pai comprarem uma passagem de volta, de preferência para aquela noite. Ela sabia que eles não fariam isso, pois isso levaria os últimos resquícios de independência dela. Seria então uma criança indefesa, incapaz de se virar sozinha.

Parte de Lumikki gostaria de ser uma criança indefesa, que receberia uma orientação de seus pais para voltar para a Finlândia imediatamente. Ela entraria em um táxi e voaria para casa. Esqueceria tudo sobre Praga. Esqueceria Zelenka. Esqueceria algum homem desconhecido que invadira seu quarto, obviamente procurando por ela. Esqueceria Jiři Hašek e tudo o que aquele homem lhe contara.

Jiři. Merda.

Lumikki puxou da sacola de frutas seus shorts encharcados e colocou sua mão dentro do bolso esquerdo. Um cartão de visitas, que estava muito molhado. Era, porém, ainda possível ler o número do celular. Sorte.

— Ligue-me, se qualquer coisa acontecer. Qualquer coisa. A qualquer hora.

Fora isso que Jiři dissera. Ele provavelmente não quisera dizer exatamente isso, mas Lumikki sentia que não tinha muitas outras alternativas. Voltar para casa não era o que ela estava preparada para fazer agora. Isso seria desistir. Lumikki não era do tipo que desistia. Ademais, isso resultaria em muitas perguntas de seus pais e ela não queria ser interrogada quando não tinha respostas. Lumikki discou o número de Jiři e ligou. Ela torceu para que o homem não tivesse, por exemplo, uma namorada sonolenta que atendesse de mau humor o telefone. Com base em seu encontro anterior, ela julgara que Jiři fosse solteiro, mas é claro que sua interpretação poderia estar errada. E ninguém podia dizer que um homem solteiro passaria suas noites sozinho.

Um homem atendeu depois de três toques.

— Aqui é Lumikki Andersson.

Em seguida, ela teve de pensar um pouco como apresentar a questão em inglês, pois a pergunta "Posso passar a noite com você?" seria mal interpretada.

Ao entrar no prédio de Jiři Hašek, Lumikki repassou mais uma vez seu encontro no início da noite. Jiři a levara para um café popular e barulhento e lhe oferecera uma coca. Depois, ele insistira firmemente que ela lhe contasse tudo sobre si e sobre o que sabia sobre Jaro, em especial sua morte. Ela contara com poucos detalhes sobre ser uma turista da Finlândia totalmente normal e que conhecera Zelenka, acreditando que ela fosse sua meia-irmã. Segundo Lumikki, isso não era da conta de Jiři. Pelo menos não naquele momento. Pois Lumikki não sabia nada sobre o homem. Não sabia se podia confiar nele.

Lumikki explicara que vira Jaro de relance e depois, por coincidência, acabou no mesmo café onde Jiři entrevistava o homem e que, mais tarde, Zelenka contara que morrera e Lumikki começara a questionar se o acidente era, de fato, uma coincidência.

— Para uma garota que se envolveu nisto por coincidência, você parece acreditar muito pouco em coincidência — comentara Jiři.

Lumikki permanecera quieta. Jiři bebera todo seu copo de água com um gole e então dissera:

— Mas você está certa. Tenho quase certeza que a morte de Jaro não foi uma coincidência nem um acidente.

Jiři observara Lumikki e claramente se perguntara se podia confiar nela. Lumikki se vira nos olhos dele, uma garota mochileira, cuja história parecia estranha e que acabara de aparecer em seu trabalho totalmente de surpresa. Não exatamente o tipo de pessoa que se escolheria imediatamente para confiar. Porém a situação era de qualquer forma estranha e Jiři estava notavelmente bem impressionado com o fato de Lumikki tê-lo encontrado com base em tão poucos indícios.

Então ele decidiu confiar nela.

— Então quanto você realmente sabe sobre a Família Branca? — perguntou Jiři.

Família Branca. Lumikki ouvia aquelas palavras pela primeira vez. Pois Zelenka falara apenas sobre a "família". Quando Jiři contou que se tratava de uma seita religiosa, cujas atividades ele estivera tentando pesquisar já há algum tempo, Lumikki teve vontade de bater sua cabeça na mesa do café. Como podia ter sido tão burra? Como não percebera pelos indícios dados por Zelenka, seu modo de ser, seu comportamento? É claro. Agora que Jiři dissera, tudo era absolutamente claro.

— Eles acreditam aparentemente que são parentes diretos de Jesus. E, portanto, todos os membros do culto são parentes. Assim, eles são não só uma família espiritual, mas também uma família biológica.

É claro. Isso também se encaixa ao quadro.

— Por outro lado — continuara Jiři —, recentemente pesquisei bastante genealogia e parece que alguns dos laços familiares são fracos. E não me refiro apenas a laços de sangue com Jesus, que obviamente é bobagem, mas aos laços familiares entre os próprios membros do culto.

— Há uma razão especial pela qual você pesquisa assuntos da Família Branca? — Lumikki ousara perguntar.

Jiři franzira a testa, pensando longamente e pesando suas palavras.

— Fui levado a entender que a seita possa ter planos perigosos, que podem ser postos em ação em breve. Eu ainda não sei o que esses planos são. É isso que venho tentando descobrir. E Jaro me prometera dar uma entrevista anônima em vídeo. É por isso que é difícil acreditar que sua morte foi um acidente. Especialmente porque já houve mortes misteriosas na seita antes. Uma parada cardíaca de um jovem. Uma pessoa totalmente sóbria caiu no rio à noite. Um carro saiu de sua faixa e bateu em um caminhão. Um homem caiu debaixo do metrô. Acidentes. Infortúnios. Investigações policiais que pararam quando nada foi encontrado.

A movimentação do café os cercara quando ambos haviam ficado quietos por um momento. Os sons ao redor deles vinham de outro mundo mais iluminado e sem preocupações. Havia uma bolha negra cheia de cenas sombrias acima de Lumikki e Jiři.

— Muitos deles estão com medo, Lumikki — dissera Jiři, pronunciando seu nome surpreendentemente bem. — Muitos deles estão assustados.

Lumikki fizera um gesto afirmativo e contou que a jovem que ela conhecia também estava com medo. Lumikki prometera falar sobre Zelenka com mais detalhes. Jiři disse que gostaria que se encontrassem novamente e trocassem informações. Lumikki concordara.

Agora ela estava parada à porta dele e se perguntava se aquilo era uma boa ideia, afinal. Jiři tinha, é claro, dito ao telefone que Lumikki poderia passar a noite em sua casa, inclusive ficar até o fim de sua viagem. Mas Lumikki não estava acostumada a dormir na casa de homens desconhecidos.

Não confiar em ninguém. Este era o seu princípio. Nos últimos anos ela tivera de ser bastante flexível com seus princípios e não estava certa se aquilo era algo bom.

Lumikki pôs o dedo na campainha, onde estava escrito Hašek, e apertou demoradamente e com determinação.

O calor do vento balança as árvores.
O calor do vento pela estrada
Eu ouvi sua voz e sabia
Você está me queimando
Queimando meu coração.[9]

Lumikki se enrolou melhor no cobertor e tentou tirar a voz de Anna Puu de sua cabeça. Isso era difícil. Ela estava deitada no chão da cozinha de Jiři sobre um colchão fino de viagem e sabia que seria difícil pegar no sono.

Jiři tentara insistir que Lumikki dormisse na cama e ele mesmo dormisse no colchão, mas Lumikki não aceitara.

— Ou, é claro, podemos dormir juntos na cama — dissera Jiři, colocando sua mão nas costas de Lumikki.

Lumikki congelara, se preparara para chutá-lo com força entre as pernas, catar suas coisas e correr para a noite de Praga. Jiři sentira sua tensão, tirara sua mão e começara a rir.

— Ei, foi uma piada. Nós mal nos conhecemos e você é ainda quase uma criança. Pode relaxar. Não sou esse tipo de homem.

Lumikki se virara para olhar Jiři direto nos olhos. Ele parecia sincero. E um pouco envergonhado. Lumikki viu que Jiři poderia ser — e provavelmente era — um playboy, mas ele não era um estuprador. E, aos seus olhos, Lumikki era uma menininha.

Eles haviam conversado longamente até tarde sobre o homem que invadira o quarto de albergue de Lumikki. Jiři estava convencido que era um matador enviado pela Família Branca.

— Eles querem se livrar de você — dissera. — É melhor que eu e você fiquemos juntos até o fim de sua viagem. Isso pode acabar sendo perigoso para você. Ou, de fato, isso já se tornou um risco de vida para você.

---

[9] Tradução livre da música *Palava Tuuli*, de Anna Puu. (N. T.)

Então, após um grande bocejo, olharam um para o outro e caíram na gargalhada. Totalmente absurdo. Falar sobre a vida estar em risco e, em seguida, bocejar como se fosse tão interessante quanto conversar comendo mingau da manhã anterior. Estava tarde. Ambos haviam tido um dia longo. Fora decidido continuar a conversa pela manhã, com a cabeça fresca. Lumikki sentira que podia adormecer sentada à mesa de jantar de Jiři em meio a uma frase sem acordar quando sua cabeça batesse no tampo da mesa.

Jiři fizera a cama para Lumikki enquanto ela foi lavar o rosto e escovar os dentes. Ela conseguira evitar olhar um dos armários do banheiro de Jiři, mesmo tendo desejado. Ela não devia espioná-lo.

Quando Lumikki finalmente colocara a cabeça no travesseiro, ela imaginara que dormiria imediatamente. Estava errada.

As estrelas no céu brilham
Iluminando-nos
Como se estivesse nos olhando.[10]

A piada de Jiři sobre dormirem juntos na mesma cama fizera Lumikki pensar na possibilidade de nunca mais ser capaz de se apaixonar por outra pessoa, considerando que ainda estava loucamente apaixonada por Liekki. Pois ela o amava. Por isso que ele lhe fazia tanta falta. Por isso que a saudade por ele não passava. Poderia ela um dia reagir ao flerte de alguém? Seria ela capaz de pensar que pode confiar, deixar alguém aproximar-se dela, no final, pele com pele?

Lumikki não sabia.

Era uma noite clara de agosto com estrelas no céu quando eles estavam sentados às mesas de madeira da praça Tammelantori

---

[10] Idem nota anterior.

e tudo estava bem. Lumikki tocou levemente o signo no pescoço de Liekki e olhou para a mesma constelação no céu. Quando ela a encontrou, sua mente foi de repente preenchida por paz, certeza e alegria.

— Eu te amo — disse Lumikki.

As palavras saíram com facilidade e naturalidade. Levemente, embora seu conteúdo fosse mais pesado do que qualquer outra coisa que já dissera.

— Eu te amo também — respondeu Liekki com a mesma naturalidade.

O céu acima deles estava escuro e cheio de estrelas. Naquele momento, cada uma delas brilhava apenas para eles.

Eu ainda teria sido muito
Muito mais por você.[11]

[11] Idem nota anterior.

16

Lumikki já vira muitas palavras engraçadas em sua vida, mas "funicular" era ainda com certeza uma das mais engraçadas. Funicular. Funicular. Funicular. Ela tinha vontade de repetir a palavra ritmicamente em voz alta. "Teleférico" não soava nem um pouco fascinante, embora se refira ao mesmo veículo. Era uma via férrea operada por cabos, que eram usados em montes íngremes. Lumikki se perguntou se poderia ter caminhado ao topo do monte Petřín, mas quando pedira a opinião de Jiři pela manhã, ele dissera que ela deveria usar o funicular quando tivesse a oportunidade. E por alguma razão incompreensível, preços de turista ainda não haviam sido dados, então podia-se usá-lo pelo preço normal de uma passagem de ida de transporte público.

Na manhã seguinte, Lumikki e Jiři concordaram que Jiři continuaria sua própria pesquisa, Lumikki tentaria entrevistar Zelenka e descobrir que planos a seita podia ter. Eles se encontrariam novamente na casa de Jiři à tarde e trocariam informações. Jiři insistiu que não era seguro para Lumikki passar a noite em qualquer lugar que não fosse a casa dele. Lumikki concordou.

Agora ela estava olhando para as encostas verdes do monte, enquanto lentamente o funicular subia cada vez mais. Seus olhos passavam pelas formas da paisagem, que eram diferentes das da Finlândia. Vales, montes, encostas, escadas e telhados. As variações na paisagem eram de tirar o fôlego. A maior parte das pessoas no funicular eram também turistas, que pulavam de vez em quando, apontavam para detalhes na paisagem e riam. Alguns moradores locais estavam sentados melancolicamente como finlandeses em um ônibus em novembro. Lumikki agora já sabia que as pessoas de Praga não eram conversadoras nem espalhafatosas. Isso combinava com ela. Quando um caixa em uma loja não sorria para ela, ela também não tinha de forçar um sorriso largo em seu rosto.

Negócios são negócios, sorrisos são sorrisos.

Não eram ainda nem dez horas, mas a temperatura já subira para mais de vinte e cinco graus. Porém havia uma brisa agradável na encosta, que entrava no funicular pelas janelas abertas. Por um momento, Lumikki sentiu que ela fazia exatamente o que viera a Praga fazer. Como se ela fosse simplesmente uma turista solitária, que ninguém conhecia e que não conhecia ninguém. Em paz, com seus próprios pensamentos. Ela gostaria de esquecer que estava a caminho para encontrar Zelenka.

Dentro da cabine no banco diante dela, havia um pai sentado com duas menininhas. As meninas tinham talvez três e cinco anos, obviamente irmãs. Ambas tinham tranças. A mais nova tinha as tranças amarradas formando duas argolas engraçadas sobre as orelhas, a mais velha as tinha sobre sua cabeça como uma coroa. Como Zelenka. As meninas estavam sentadas de maneira que o joelho esquerdo da mais nova tocava o direito da mais velha. A mais nova tinha um band-aid da Hello Kitty em seu joelho.

Lumikki de repente se lembrou de como mãos macias e um pouco atrapalhadas, mas delicadas, haviam colocado um band--aid com o desenho do Mickey Mouse em seu joelho.

Uma voz de algum lugar sussurrara:

— Sua irmã mais velha irá soprar seu machucado.

E então um sopro forte, com algumas gotículas de cuspe, chegara à sua pele. Lumikki riu.

A lembrança não podia estar certa. Alguém podia ter colocado o band-aid nela. Alguma amiga, um pouco mais velha, ou uma prima. Mas não uma irmã mais velha. Pois Lumikki e Zelenka nunca haviam se encontrado antes. Provavelmente, ao ver as menininhas, alguma memória da infância fora ativada em Lumikki e sua mente misturou elementos irreais. A mente humana às vezes funcionava assim. Precisamente por causa disso que é possível manipular lembranças que as pessoas não podiam na realidade ter. Algumas pessoas lembram de violência e abuso na infância embora nada disso tenha acontecido.

Outra lembrança ainda mais perturbadora tentou se esgueirar nos pensamentos de Lumikki. Um pesadelo que ela preferia não ter. Como ela tentou colocar o band-aid, mas havia tanto sangue, que o band-aid ficou totalmente molhado e vermelho. Havia sangue demais. Ela começou a chorar. Ela não entendia. Por que o machucado não sararia colocando o band-aid nele?

O funicular chegou ao seu destino. O balanço do funicular ao parar foi o suficiente para chacoalhar as imagens estranhas e incômodas. Ao mesmo tempo, ele trouxe uma lembrança que era tão forte que não podia ter sido imaginação.

Sua mãe e seu pai flutuando em algum lugar no alto, provavelmente acima da cama. Ela própria estava deitada na cama e se sentia pesada, como um elefante comprimido em uma bola. É isso o que ela se lembra de ter pensado. Uma bola pesada, que não reconhecia seus contornos. Os rostos de sua mãe e de seu pai cinza, cansados e tristes.

— Sua irmã mais velha... — disseram.

Ambos separadamente e ao mesmo tempo. Por alguma razão, eles não podiam ir além daquela palavra.

As pessoas empurravam Lumikki para sair da cabine. Ela conseguiu também começar a andar, embora seus pés tivessem sido atingidos pelo peso da lembrança. A situação que lembrava era real, ela sabia disso subitamente com clareza e força.

Ela tinha uma irmã mais velha.

A árvore genealógica no papel parecia ter partes que foram cortadas por alguém com vontade demais.

— Você não sabe mesmo nada mais? — perguntou Lumikki.

Zelenka balançou a cabeça.

A árvore genealógica tinha Zelenka; sua mãe Hana Havlová; os pais de sua mãe, Maria Havlová e Franz Havel; o irmão de Franz Klaus Havel e seu filho, Adam Havel.

— Então Adam é o chefe de sua família? — confirmou Lumikki.

Ela evitava dizer "culto", pois ela suspeitava que isso levantaria suspeitas.

— Adam é... — Zelenka pensou por um momento. — Adam é pai. Todos o chamamos de pai, até aqueles que são mais velhos do que ele, pois ele cuida de nós como um pai. E para mim, em particular, ele é um pai, já que nunca tive um.

— Quantos anos ele tem?

— Não tenho certeza. Acho que cerca de sessenta anos. Por quê? — perguntou Zelenka.

Lumikki encolheu os ombros sem responder. Gostaria de fazer mais perguntas à Zelenka sobre Adam, mas sentiu pelos movimentos de tique e pela voz tensa que a discussão já estava prestes a ser cortada por Zelenka a qualquer momento.

Elas se sentaram no topo do monte Petřín e olharam grupos de turistas passando e admiraram a torre de ferro no topo do monte. Ela se parecia claramente com sua prima mais famosa, a Eiffel, mas era bem menor e, de algum modo, mais aconchegante.

Às vezes Lumikki também olhava para os dedos magros de Zelenka. Seria possível que aqueles dedos um dia haviam colocado um band-aid em seu joelho afinal? E se elas realmente haviam se encontrado, mas nem Zelenka se lembrava? Ou se Zelenka mentira sobre não ter visto Lumikki antes, exceto na foto? Mas por quê? Isso não faria nenhum sentido.

Lumikki pensou que elas estavam lado a lado, tão próximas, que seus joelhos podiam ter se tocado, mas, ao mesmo tempo, havia um muro de segredos entre elas. Lumikki não disse nada sobre Jiři, nem sobre o matador enviado em seu encalço, nem sobre as coisas que Jiři lhe contara. Da mesma maneira, ela acreditava que Zelenka escondia todo o tipo de coisa.

Era uma vez uma menina com um segredo.

Era uma vez duas meninas que tinham segredos, que elas não contavam uma a outra.

Eles eram da mesma família de segredos. Lumikki quase riu alto.

— E sua mãe nunca disse nada sobre Adam? — perguntou Lumikki.

— Não. Eu já lhe disse. Nunca encontrei nenhum dos meus outros parentes. Os pais da minha mãe já haviam morrido antes de eu nascer. Eu nem sabia que meu avô tinha um irmão, muito menos que o irmão tinha um filho. Eu não entendo por que minha mãe nunca falou deles. Pois ela viveu com eles.

Lumikki estremeceu.

— Sua mãe viveu com a família? Antes de você nascer?

— Sim, viveu. Mas depois, ela partiu. Não posso achar outra razão para isso exceto que a escuridão tenha entrado nela. Caso contrário, por que teria deixado pessoas boas?

Zelenka olhou para Lumikki com olhos grandes, como se ela pudesse ter uma resposta. Isso deu arrepios em Lumikki. Se a mãe de Zelenka saíra do culto e cortara todos os laços com os seus membros, ela devia ter uma boa razão para tanto. E, quando ela morreu, eles vieram pegar sua filha como uma fruta madura.

— Às vezes pergunto isso a Adam também, mas ele diz apenas que isso é leite derramado e que eu deveria esquecer a minha mãe. Ele está certo. Minha mãe pertence à minha vida anterior. A coisa mais importante não é o passado, mas o futuro.

Zelenka virou o rosto em direção ao sol, fechou os olhos e sorriu. Ela tinha mais uma vez aquela expressão iluminada no rosto que fazia Lumikki se sentir desconfortável. Totalmente à parte do que estava acontecendo dentro de Zelenka.

— Há algo especial que está prestes a acontecer futuramente? — perguntou Lumikki com cuidado. — Talvez até mesmo em um futuro próximo?

Zelenka abriu os olhos e olhou para Lumikki seriamente.

— Apenas aqueles que são parte da família e têm fé sabem a verdade. Você ainda não crê. Você não acredita que é minha irmã e também não acredita de modo geral.

Lumikki refletiu por um segundo. E mais outro. Ela mudou de ideia no terceiro. Ela pensara que não deveria ainda contar à Zelenka, não tão diretamente, mas agora parecia que Zelenka podia a qualquer momento se levantar e partir de sua vida sem olhar para trás. Lumikki não podia permitir. Isso já acontecera com ela com frequência demais.

A voz de Zelenka era puro gelo sob o sol escaldante.

— Talvez seja melhor que não nos encontremos mais. Você voltará para a sua mãe e pai, o seu pai. Eu fui tola em pensar que ele poderia ser o meu pai também. Pois eu já tenho um bom pai, Adam. Eu tenho tudo. Não preciso de mais nada.

Não, não, não, não. A palavra de três letras tiniu na cabeça de Lumikki com sua própria voz. Isso não pode acontecer assim. Não pode. Não de novo. Ela não podia deixar as pessoas importantes de sua vida desaparecerem e se esvaírem.

Lumikki fez algo que não lhe era nada característico. Ela agarrou a mão de Zelenka e a apertou entre suas próprias mãos. Ela olhou direto nos olhos de Zelenka. A distância e a frieza nelas derreteram imediatamente.

— Eu acredito que você seja minha irmã.

Lumikki viu como as palavras se afundaram na mente de Zelenka. A mão de Zelenka começou a tremer. Lágrimas surgiram em seus olhos. A própria Lumikki teve de engolir em seco algumas vezes. Como se algo negro e pesado houvesse sido levantado de seu peito. Finalmente. Uma resposta. A verdade. Estava aqui.

Turistas barulhentos passavam por elas e elas nem os notavam. O calor, e o suor causado por ele, fazia os pelos do pescoço de ambas curvarem, mas elas não sentiam calor. Elas estavam juntas, apenas as duas, como se estivessem dentro de uma bolha, vivendo uma realidade que existia apenas para elas.

Zelenka abraçou Lumikki com força. Lumikki respondeu ao abraço da mesma maneira. Ela sentiu as lágrimas de Zelenka em seu ombro, onde elas se misturaram em seu suor igualmente salgado. Lumikki estava repleta de uma alegria estonteante, que ela sentira pela última vez com Liekki.

Vir a Praga e encontrar uma irmã. Isso era um milagre. Um presente. Lumikki tinha de aceitar o presente, pois com certeza não haveria outra oportunidade.

Quando Zelenka se desvencilhou do abraço, Lumikki notou que ela limpava as lágrimas com a palma da mão delicadamente e com naturalidade. Mais uma vez a estranha sensação de que ela fizera aquilo alguma vez antes, embora não fosse possível. Talvez os mesmos genes, o mesmo sangue pulsando nas veias causassem o sentimento de familiaridade. Lumikki nunca acreditara nesse tipo de coisa, mas talvez fosse hora de renovar suas crenças. Tantas coisas haviam acontecido. E tão grandiosas.

— Eu quero que você venha encontrar a família — disse Zelenka.

Lumikki também queria. Não por causa da família, mas por causa de Zelenka, para que ela pudesse se certificar de que ela estava segura. E se ela não estivesse segura, se a família fosse, de fato, perigosa, ela poderia salvar a sua irmã.

Ela tinha uma irmã que ela queria salvar. Aquela ideia parecia surpreendentemente boa para Lumikki.

— Mas eles aceitarão me receber?

— Não lhe daremos alternativas — disse Zelenka, sorrindo.

Nunca Lumikki havia visto seu sorriso tão largo, feliz e despreocupado.

Era uma vez uma mulher que tinha um segredo.

Segredos têm uma característica importante, eles deixam de ser segredos uma vez que são contados para estranhos. Um segredo é sagrado. Um segredo não pode ser maculado sendo dividido com alguém que não o entende.

A mulher contou. Ela contou que queria viver sem a família. Ela fugiu. Ela escondeu seu novo nome e endereço da família. Ela escondeu sua filha. Esses eram tipos errados de segredos. Segredos pecaminosos. E segredos pecaminosos sempre serão revelados, mais cedo ou mais tarde.

É por isso que a água fria do rio acariciou a mulher. Ela a puxou para mais próximo do fundo. A água acalentou a mulher como um amante ávido. Ela a beijou nos lábios e forçou que abrisse sua boca. Encheu a boca e as narinas, invadiu seus pulmões e empurrou o ar para fora deles. A água queria tudo para si, em seu próprio reino, onde contavam fábulas sombrias com uma voz baixa e cadenciada.

A mulher não foi para a água por sua própria vontade nem por acidente. Ela foi empurrada. Pecadores não ficam à superfície. Eles se afogam.

E os tipos errados de segredos se afogaram com ela.

17

Em um prato branco havia duas batatas cozidas, duas cenouras cozidas, um pedaço de carne e uma fatia de pão sem nada em cima. A refeição não tinha tempero, ervas ou qualquer outra coisa que indicasse uma tentativa de torná-la apetitosa ou apresentável. Um pouco diferente do que Lumikki esperava de um jantar de domingo.

A refeição foi servida na grande sala de jantar no andar térreo da casa, ao lado da qual estava a cozinha. Lumikki e Zelenka foram levadas imediatamente para a mesa de jantar, mas Lumikki tivera tempo de notar que havia três outras grandes salas no andar térreo. Havia escadas de madeira, de aparência meio frágil, que levavam para cima. Parecia óbvio que os quartos ficavam no andar de cima. Lumikki esperou que pudesse investigar a casa com mais detalhes, mas ninguém pelo menos organizara uma visita pela casa para ela.

— O jantar não esperará por nós — Zelenka sussurrou para Lumikki.

Lumikki passou os olhos nos outros sentados à mesa. Havia vinte deles. Os mais velhos tinham quase oitenta anos, os mais novos eram apenas alguns anos mais velhos do que Lumikki. Zelenka podia provavelmente ser a mais jovem. Todos eles estavam com a cabeça baixa para a prece que Adam Havel, ao fim da mesa, lia em voz alta em tcheco. A reza foi longa e Lumikki não entendeu uma única palavra. Ela usou a oportunidade para observar os membros do culto, todos vestidos com roupas brancas de linho um tanto rotas e gastas. Eles eram magros, o que não era uma surpresa se aquela era a melhor refeição da semana. Os membros do culto não tinham traços parecidos que chamavam a atenção, ou seja, eles não pareciam claramente ser aparentados. Porém todos eles tinham o mesmo olhar relaxado, mas apático, em seus rostos. Eles rezavam concentrados, de olhos fechados.

Tudo na casa estava um pouco gasto e em mau estado. Os papéis de parede estavam rasgados aqui e ali e desbotados em muitos lugares. A tinta nas tábuas do assoalho apresentava trincos. Os parapeitos da janela precisavam ser lavados. Os móveis esparsos precisavam de algum conserto. Não havia pinturas nas paredes, os quartos não tinham ornamentos nem quaisquer pequenos objetos que criariam uma atmosfera aconchegante. Nada na casa dava a impressão de que alguém de fato vivia lá. A impressão era de que eles estavam em uma casa abandonada caindo aos pedaços. Um piquenique em uma casa deserta.

Adam Havel era um homem barbado com sobrancelhas grossas, que devem ser descritas como "brancas". Seus cabelos e barba eram brancos e até a cor de sua pele era um pouco esbranquiçada. Era difícil estimar sua idade exata, mas ele talvez tivesse sessenta e poucos anos, como Zelenka estimara. Lumikki não conseguia olhar para ele sem uma estranha sensação de que sua brancura era apenas introversão fingida. O homem era claramente obstinado e ameaçador, isso podia ser visto pela determinação de todos os seus movimentos. Ele também era magro, mas os músculos de seus braços podiam ser vistos claramente. Suas mãos, cruzadas para a prece, pareciam tão fortes que poderiam ser usadas para estrangular um homem até a morte.

Os olhos de Adam Havel se levantaram subitamente no meio da prece e se fixaram em Lumikki. Ela olhou rapidamente para baixo, fixando o olhar para seu próprio colo. Não havia nenhuma razão para deixar o líder do culto com suspeitas.

Parecia até um completo milagre que ela conseguira entrar na casa. No portão, Lumikki e Zelenka haviam encontrado a mesma mulher que impedira que Lumikki passasse pelos portões. Mais uma vez, Zelenka começara uma discussão acalorada em tcheco e Lumikki pensara que ela havia, mais uma vez, perdido a viagem. Depois, Adam Havel saíra da casa, olhara Lumikki cuidadosamente, falara algumas palavras com Zelenka e zás: o portão se abrira.

— O que você disse a ele? — Lumikki sussurrou à Zelenka.

Zelenka encolheu os ombros.

— Eu simplesmente disse que você é minha irmã e que eu gostaria que você jantasse conosco. Adam achou que seria uma boa ideia.

Olhando para as costas retas e determinadas do homem enquanto caminhava à frente delas, Lumikki pensou que era melhor tomar cuidado com ele.

A prece finalmente chegou ao fim e Adam deu um sinal para que começassem a comer. Apenas sons de garfos e facas podiam ser ouvidos retinindo contra os pratos. A mesa estava completamente silenciosa. Para beber, eles tinham água morna. Lumikki cortou um pedaço de batata e carne e colocou-os em sua boca. Não havia sal em nenhum deles.

Adam aparentemente notou a expressão de Lumikki, pois ele começou subitamente a explicar em inglês:

— Você talvez se pergunte por que nossa comida é tão asceta. Ou nosso modo de vida em geral. Acreditamos em tudo puro e original, o mais simples possível. Quanto menos estímulos extras tem um indivíduo, mais perto ele pode estar de Deus. É por isso que não temos televisões, telefones, aparelhos eletrônicos de nenhum tipo, nenhum livro. Nós não temperamos nossa comida. Às vezes queimamos incenso, mas até isso está relacionado à limpeza de nosso olfato. Acreditamos que a mente humana seja capaz de receber o que é sagrado sendo limpo e branco como a neve.

Lumikki olhou para os membros do culto, que não paravam de fazer gestos de assentimento para as palavras de Adam. Eles não pareciam infelizes ou oprimidos. Pareciam calmos e com um sentimento de pertencimento uns aos outros. Obviamente acreditavam que tinham algo que os outros não tinham. Por um momento fugaz Lumikki sentiu inveja deles.

Os membros do culto começaram a falar em voz baixa entre si.

— O que eles estão falando? — Lumikki perguntou à Zelenka.

— Estamos repassando os eventos do dia. Aqueles que trabalham contam sobre o dia de trabalho e os outros falam sobre o que fizeram em casa.

A conversa em tcheco fluía calmamente. Lumikki olhava para as expressões das pessoas. Era impossível dizer qualquer coisa a partir de seus rostos. Ninguém sorria, ninguém parecia enfezado. Seria parte do conceito do sagrado dentro do culto o fato de não se demonstrar os sentimentos? Ou então não haveria sentimentos?

Quando o bate-papo do dia acabou, a refeição terminou em silêncio. Ninguém fez nenhuma pergunta à Lumikki, ninguém fez nenhum comentário sobre ela. A atmosfera era como a de um sonho, ao mesmo tempo, relaxada e apavorante. Lumikki tentava, de vez em quando, passar os olhos em Zelenka, mas ela somente olhava para seu prato.

Quando todos haviam terminado, Adam disse algo em tcheco e as pessoas à mesa seguraram as mãos umas das outras. Um homem velho, já trêmulo, agarrou a mão esquerda de Lumikki e Zelenka pegou a direita.

— O que é isto? — Lumikki sussurrou para Zelenka.

— O círculo do pecado — respondeu Zelenka. — Todos confessam seus pecados da semana.

Lumikki não teve tempo de dizer nada antes que as primeiras confissões começassem. Se a prece antes da refeição parecera longa, o círculo do pecado se prolongou por uma eternidade. Lumikki não podia entender como aquelas pessoas puras e ascetas haviam tido tempo para cometer tantos pecados durante a semana, como se podia assumir pelo comprimento do círculo do pecado. Após cada confissão, o círculo levantava suas mãos unidas no ar por um momento e depois as abaixava novamente. Talvez isso tivesse algo a ver com o perdão dos pecados.

No fim, chegou a vez de Lumikki no círculo. Ela sorriu educadamente, balançou a cabeça e tentou passar a vez para o próximo. Mas isso não foi aceito.

— Todos têm de confessar seus pecados — disse Adam suavemente com um olhar sério nos olhos de Lumikki.

Lumikki notou que ele falava inglês incrivelmente bem. Não havia praticamente nenhum sotaque tcheco quando ele falava.

— Não acho que eu tenha pecado — respondeu Lumikki.

— Todos pecam. Diariamente.

A suavidade desaparecera da voz de Adam.

Um jovem bonito disse algo. Adam começou a olhar fixamente para Lumikki e traduziu:

— Não temos nenhum negócio pessoal aqui. Tudo é dividido.

A atmosfera em volta da mesa se tornou subitamente ameaçadora. Todos os olhares se voltavam para Lumikki. Zelenka também olhava para ela, mas apertava sua mão implorando e encorajando.

O suor começou a escorrer no pescoço de Lumikki. Ela não gostava nem um pouco daquilo. Ela queria sair de lá. Já.

— Obrigada pelo jantar, mas tenho de ir agora — disse Lumikki e tentou se levantar.

Mas o velho sentado ao seu lado a segurou com tanta força que conseguiu puxá-la de volta à cadeira. Adam se levantara e com alguns passos largos alcançou Lumikki, colocando a mão pesada e opressora em seu ombro.

— Se você não quer confessar seus pecados aqui, você o fará no cubículo do pecado — disse ele com uma voz calma.

— O quê? — perguntou Lumikki e olhou para Zelenka que apenas balançou a cabeça.

— O cubículo do pecado é para todos aqueles que têm de pensar sobre seus pecados com mais cuidado — disse Adam.

Lumikki não gostou do eco da voz suave do homem. Ela ficou de pé, mas, ao mesmo tempo, diversas mãos a agarraram como que seguindo uma ordem.

Lumikki teve tempo de ver os olhos cheios de lágrimas de Zelenka enquanto já era levada para fora da sala de jantar tomada pelas suas mãos e pés, mesmo lutando o máximo que podia. Os olhos de Zelenka pareciam pedir perdão.

Adam Havel procurou por uma foto em seu smartphone embora ele já soubesse que não cometera um erro. A mesma garota. O mesmo cabelo curto e um olhar duro, um pouco arrogante.

Porém ele não supusera que ela lutasse tanto. Fora necessário mais que um homem para acalmá-la. Assim que Adam vira a garota junto ao portão, soubera que era aquela que eles teriam de eliminar. Ele mesmo não faria isso, é claro, pois isso assustaria os outros. Então convidara a garota para entrar e ela caíra na armadilha como um patinho. Adam sabia que seria apenas uma questão de tempo até que a garota se tornasse difícil e tivesse de ser colocada no cubículo do pecado.

Seria Zelenka sua irmã? Na verdade, Adam nem se importava. Ele recebera ordens claras para que se livrassem da garota e, sendo esse o caso, os seus laços familiares não seriam questionados. Além disso, Zelenka sempre fora um pouco diferente, vivendo mais em seus sonhos do que na realidade. Isso não incomodava Adam nem um pouco. Isso fizera Zelenka mais fácil de ser controlada do que a mãe dela, que escapara da família e tentara ter uma vida normal depois de ficar grávida em segredo. Esse tipo de solução não servia à família. Não se podia deixar a família. Era perigoso se estranhos soubessem de assuntos da família.

Encontrar a mãe de Zelenka havia sido surpreendentemente difícil, embora ela morasse na mesma cidade. Foram precisos quase quinze anos. Mas finalmente Adam conseguira encontrá-la e a mulher pagara pelos seus pecados. Morte por afogamento era muito adequada a uma pecadora. Ademais, a morte pareceu um acidente e é assim que está registrado.

Adam checava seu telefone no porão, atrás de uma porta trancada. É assim que ele sempre fazia. A proibição de equipamentos eletrônicos obviamente não o incluía, mas os outros não tinham de saber disso. Eles tinham de permanecer tão fortes e puros o quanto possível em sua fé.

Adam escrevera uma mensagem na qual ele contou que a garota podia ser pega do pequeno cubículo de pedra no quintal, cuja chave ele deixaria junto das escadas da parte de trás da casa. A coleta seria melhor mascarada como uma fuga, pois, caso contrário, seu desaparecimento causaria espanto desnecessário na família. Ele mesmo prometera manter os outros na sala de preces do outro lado da casa por uma hora. Adam deixara a mensagem com uma mulher, que passaria a tarefa para um matador de aluguel. Era assim que havia sido planejado, pois era melhor que as ordens viessem claramente de uma única pessoa.

Adam brincou com a ideia de um dia revelar seus atos realmente maus no círculo do pecado. Isso o faria se sentir melhor? Provavelmente não. Em primeiro lugar, ele nem acreditava no conceito de pecado. Em segundo, tinha certeza que se sentiria melhor uma vez que a missão estivesse completa e ele estivesse longe de lá.

O trapo cinza que fora amarrado na boca de Lumikki tinha um gosto cada vez pior. Seu gosto era exatamente como sua aparência: poeirento, repugnante, rançoso, sujo. As cordas ásperas, firmemente amarradas, arranhavam seus pulsos e tornozelos.

O cubículo do pecado fazia jus ao nome. Tinha menos de um metro quadrado, uma cabana de pedra que fora construída no fundo do quintal. Nenhuma cadeira. Apenas um crucifixo pendurado na parede e a mochila da própria Lumikki pendurada ao seu lado, a uma altura suficiente que ela não pudesse alcançá-la com as mãos atadas. Havia uma pequena janela no teto pela qual era possível ver o céu azul. A porta estava trancada pelo lado de fora.

Lumikki tentou afrouxar um pouco as cordas ou encontrar algo contra o qual ela pudesse esfregá-las na tentativa de parti-las.

Uma tarefa impossível. Ela apertou a parte de trás de sua cabeça contra a parede e a esfregou para cima e para baixo, para a direita e para a esquerda. O trapo amarrado firmemente em sua boca nem se movera, não se mexera um centímetro. Lumikki fez de tudo para não sentir seu gosto.

Lumikki fez um esforço e se levantou, embora fosse difícil, pois seus tornozelos estavam firmemente amarrados um ao outro. Ela testou a que altura conseguia saltar. Apenas algumas dezenas de centímetros. Isso não ajudava em nada. Após o terceiro salto, ela perdeu o equilíbrio e caiu sentada. Seu cóccix bateu com força no chão de pedra. Lágrimas de dor surgiram nos olhos de Lumikki.

Lumikki ficou sentada por um tempo para juntar forças. Ela já havia gasto força demais. Era difícil evitar o pânico. Ela já sobrevivera muitas vezes a coisas que só Deus sabe, mas naquele instante sentia que não sobreviveria àquilo. Não conseguiria fugir.

Lumikki levantou os olhos sobre o crucifixo de madeira. Jesus retornou o olhar com olhos grandes e tristes. Agora mais do que nunca seria uma boa hora para rezar. Lumikki não rezou, pois ela não acreditava que alguém fosse ouvir.

O céu era bonito por trás da pequena janela.

Lumikki sentiu o jantar insosso que comera rolando em seu estômago e tentando voltar. Ela se forçou a engolir, embora ao mesmo tempo isso fazia com que sentisse ainda mais o gosto do trapo molhado. Não podia pensar em vomitar, pois isso piorava a náusea. Ela tinha de fazer algo para acalmar seus pensamentos e controlar o pânico.

Ficou de pé, com as costas contra a parede e depois empurrou-se com os pés, de modo que pudesse colocar as solas de seus pés contra a porta. A porta robusta nem se moveu. Lumikki repetiu o movimento três vezes. Nenhum resultado. Ela reuniu forças por um momento novamente se sentando no chão e refletiu.

E se conseguisse subir com as costas contra a parede e os pés contra a outra parede? Centímetro por centímetro até ela alcançar sua mochila ou até mesmo a janela? Ela conseguiria quebrar ou abri-la?

Lumikki não começou a calcular a probabilidade, pois sabia que os números estavam contra ela. E probabilidades nunca a haviam ajudado a fugir. Lumikki conseguira fugir usando sua teimosia, paciência e uma atitude de jamais desistir.

Lumikki também não queria nem pensar no que Adam Havel tinha em mente para ela. Mas pensava nisso. Ela não confiava nem um pouco nele. Se a morte de Jaro não fora um acidente, como Lumikki acreditava fortemente, não havia provavelmente nenhuma razão de deixá-la sobreviver. O próprio homem viria estrangulá-la? Ou alguém seria enviado para fazer isso? Ela seria morta no cubículo do pecado ou seria levada para outro lugar para ser executada?

Morte no cubículo do pecado. Lumikki não aceitaria aquilo.

Ela apertou suas costas com força contra a parede, sentindo sua superfície dura e impiedosa. A parede teria de ser sua amiga agora, sustentando-a. Lumikki concentrou-se para empurrar seus pés amarrados contra a parede oposta. Ela sabia que a subida seria difícil e cansativa. Ela provavelmente teria forças para fazê-lo apenas uma vez, então ela teria de consegui-lo em uma tentativa.

Empurre. Lumikki estava agora no ar entre as duas paredes. Ela buscou equilíbrio e uma sensação de calma e inspirou pelo nariz. Ela precisava de bastante oxigênio em seu sangue.

Centímetro por centímetro ela foi mais alto. A pressão e o impulso tinham de ser mantidos constantes entre suas costas e a parede, assim como entre seus pés e a parede. Quando ela estava tão alto que o centro de equilíbrio começou a ir demasiadamente em direção aos seus ombros e pescoço, Lumikki começou a mover o corpo para cima. Era muito mais difícil do que mover as pernas.

Dois centímetros. Três.

Lumikki continuou seu movimento terrivelmente lento.

O gosto amargo do trapo parecia ficar mais intenso em sua boca.

Mais alguns centímetros e sua cabeça estaria junto à mochila. Ela poderia tirá-la do prego. Havia uma faquinha na mochila, com a qual poderia cortar as cordas.

Naquele momento, ela ouviu passos no caminho que levava ao cubículo. Eles pararam junto à porta. Lumikki moveu demais os pés, perdeu o equilíbrio e caiu.

Agora o pânico começava a crescer enquanto Lumikki ouvia alguém virando a chave na fechadura.

18

O melhor e mais confiável matador de aluguel da cidade repassou as instruções mais uma vez.

Ele iria à casa. Encontraria as chaves do cubículo junto às escadas de trás. Pegaria a garota amarrada e indefesa, faria uma bagunça no local para que parecesse que a própria garota conseguira escapar.

Tudo claro. Sem medo de equívocos ou insucesso.

O alvo conseguira escapar dele uma vez. Isso não aconteceria de novo.

Lumikki olhou a porta abrir dolorosamente devagar. Ela tentou clarear os pensamentos. Conseguiria enganar a pessoa de alguma maneira? E se fingisse ter desmaiado. Isso lhe daria a chance de surpreendê-la. A chance era pequena, mas ela tinha de tentar algo. Ela jamais desistira de uma luta e nem iria agora.

Lumikki fechou os olhos e despencou para se deitar no chão do cubículo.

A pessoa entrou.

Lumikki sentiu uma mão passando em seus cabelos.

— Lumikki — alguém sussurrou. — Lumikki, abra os olhos imediatamente. É Zelenka.

Zelenka desfez os nós das cordas de Lumikki rapidamente e com destreza e tirou o trapo de sua boca. Lumikki teve de tossir por um momento e respirar um pouco de ar fresco em seus pulmões. O gosto era indescritivelmente bom.

— Você tem de ir agora. Imediatamente. Não há muito tempo.

A voz de Zelenka estava cheia de emoção e medo.

Lumikki agarrou sua mochila do prego e disse.

— Não sem você.

Zelenka piscou os olhos algumas vezes. Ela parecia considerar a alternativa por um segundo. Depois, ela olhou na direção da casa por cima de seu ombro.

— Não temos tempo de ficar discutindo. Os outros já estão na sala de preces, mas eu não sei por quanto tempo. Adam me deu permissão de rezar em meu quarto. Eu sabia que ele mantinha uma chave extra do cubículo do pecado na lareira. Tenho de levá-la de volta, antes que alguém perceba que a peguei.

— Você será pega. Adam a punirá.

— Não, não serei. Deixarei o cubículo como se você tivesse escapado. Vá agora. Corra!

Zelenka já parecia desesperada. Seus pés e mãos tremiam.

Lumikki teve, de fato, vontade de começar a correr. Porém ela estava horrorizada com a ideia de que deixaria sua irmã à mercê daquelas pessoas loucas. Se partisse agora, veria Zelenka novamente?

— É perigoso aqui, Zelenka, você não sabe... Eu acho que não sabemos a verdade sobre Adam — tentou Lumikki.

Zelenka deu um passo para trás. Ela se tornou distante em um instante.

— Eu sei. Ele é bom para mim.

— Então por que você está me ajudando a fugir?

— Porque ele pode ser cruel com aqueles que não veem a verdade. E eu não quero que você sofra.

Lumikki queria gritar diante do pensamento ilógico de Zelenka. Sentia como ela se esvaia para cada vez mais longe do alcance de suas palavras. Havia um muro mental entre elas.

— Mas a verdade... — Lumikki começou mais uma vez.

— Até mesmo pessoas de fora logo verão a verdade e ela queimará seus olhos. Eu gostaria que você não fosse uma delas, minha irmã, mas parece que seu coração não está aberto suficientemente, afinal. Vá.

As palavras de Zelenka acertaram direto no peito de Lumikki como uma adaga de gelo. Ela podia ter abraçado Zelenka e dito que estava com muito medo que ela estivesse em perigo. E que começara a gostar de Zelenka. Podia ter feito isso, mas não fez. Timidez ou medo ou a verdade a mantiveram no lugar.

Nunca corra atrás de ninguém. Nunca suplique por amor, amizade ou confiança.

Então Lumikki simplesmente tocou rapidamente as mãos de Zelenka como se lhe agradecesse, depois correu para a cerca do quintal e a subiu com cuidado, evitando as pontas. Apenas após ter corrido tanto que voltar para trás teria sido uma completa loucura, ela amaldiçoou seus princípios estúpidos. Era possível que, por causa deles, ela perdera contato com sua irmã. Por causa deles, era possível que perdera contado com sua irmã para sempre.

Lumikki parou por um momento para respirar e tirou um papel da mochila, no qual Zelenka desenhara sua pequena árvore genealógica com apenas alguns galhos.

Era hora de ir falar com os mortos, já que ela não parecia saber falar com os vivos.

Zelenka protegeu sua cabeça com um braço e com o outro acertou a janela com toda força usando um crucifixo. O vidro quebrou fazendo barulho. O som seria ouvido até na casa, então Zelenka teria alguns segundos para agir. Felizmente, a sala de preces do grupo ficava do outro lado da casa, sem vista para o quintal. A janela do cubículo do pecado era pequena e o buraco que ela conseguira fazer era ainda menor, mas era bastante crível que Lumikki teria conseguido fugir por ele. As cordas que haviam amarrado Lumikki estavam no chão e Zelenka derrubou o crucifixo ao seu lado. Jesus parecia observá-la desapontado.

Por favor, perdoe meus pecados, Zelenka pediu em voz baixa para si mesma.

Ela trancou a porta do lado de fora com o coração saltitando e contendo seu desejo de ficar olhando para trás. Isso levaria tempo valioso. Suas mãos tremiam incontrolavelmente, mas Zelenka conseguiu trancar a porta. Depois correu para o outro lado da casa e ouviu como os outros corriam em direção à porta dos fundos.

Zelenka rezou para que ninguém pensasse em olhar se ela ainda estava em seu quarto. Sabia que não se devia rezar por uma coisa assim, mas naquele instante não se importava.

Conversas inflamadas vinham do quintal. Zelenka rezou por forças às suas pernas trêmulas e subiu as escadas para a janela de seu quarto. Ela espiou cuidadosamente do lado de dentro. Ninguém. A porta estava fechada. Bom. E o mais importante: a janela que ela deixara aberta ainda estava aberta. Zelenka entrou e só então notou que um caco de vidro da janela quebrada fizera um longo corte com gotas vermelhas de sangue correndo dele. Ela apertou a boca contra o corte e lambeu o sangue. O gosto a enojava, mas aquela não era hora de ser fraca. Mais gotas vermelhas surgiram do corte, Zelenka empurrou a mão debaixo das cobertas e apertou o ferimento contra o lençol. Se alguém perguntasse sobre o sangue, ela podia dizer que sua menstruação começara de repente à noite.

O sangramento parou um pouco. Zelenka abriu a porta e começou a descer correndo.

A lareira. Ela teria de chegar a tempo à lareira. Teria de se livrar da chave extra o mais rápido possível, antes que Adam ou qualquer outro tivesse tempo de suspeitar dela.

Zelenka olhou rapidamente pela janela para o quintal. Os outros ainda estavam lá. Adam abrira a porta do cubículo do pecado e Zelenka podia ouvir bastante da conversa sobre como Lumikki poderia ter conseguido escapar. Zelenka colocou sua mão na lareira, procurou pelo buraco secreto lá dentro e empurrou a chave extra.

Naquele instante Adam chamou Zelenka. Ela correu para a porta dos fundos para encontrar Adam.

— Sua pretensa irmã desapareceu — disse Adam.

— O quê?

Zelenka tentou manter uma adequada quantidade de surpresa, raiva e medo em sua voz. Adam olhou para ela seriamente. Zelenka foi capaz de encarar o olhar sem vacilar. Pela primeira vez em sua vida. Adam franziu a testa, mas Zelenka manteve o rosto sincero, inocente.

— Venha ver você mesma, se você não acredita.

Quando ele virou as costas para Zelenka e começou a voltar para o quintal, Zelenka colocou uma das mãos no bolso das calças. O bolso cobriria tanto o corte quanto as pontas dos dedos pretas de fuligem.

Enquanto Zelenka seguia Adam, ela estava mais uma vez impressionada de como era fácil, de fato, mentir.

O celular bipou uma nova mensagem. O matador de aluguel checou seu telefone. Ele estava quase na casa. A mensagem era do cliente.

— Bom trabalho.

O homem estava confuso. Pois ele ainda não fizera o seu trabalho. Ele praguejou ao perceber que era forçado a ser humilde e ligar. O homem estava atormentado pela ideia de que seu alvo havia conseguido escapar. Mais uma vez.

19

Angel apoiava sua cabeça em sua mão. Um grande pedaço havia descamado de sua asa esquerda e seus olhos pareciam que haviam chorado grandes lágrimas negras por séculos. O anjo da guarda que se culpou amargamente por não ter tido sucesso em sua missão de guardião. Uma trepadeira se enrolava em seus pés como algemas. O anjo nunca mais voaria para os céus com suas asas quebradas. Ele fora condenado à Terra para sempre, a derramar lágrimas negras, a sofrer o pecado de seu insucesso.

Lumikki olhou para a postura triste e fracassada do anjo. Ela sentia o mesmo. Tão desesperançada quanto o anjo. Igualmente fracassada. O que ela estivera pensando? O Cemitério Vinohrady era um dos maiores em Praga. Encontrar uma agulha no palheiro seria fácil comparado a isso.

Zelenka contara à Lumikki que seus avós haviam sido enterrados naquele cemitério. A própria Zelenka, porém, aparentemente jamais havia visitado os túmulos. Segundo Adam, não se deve concentrar naqueles que já estão mortos, mas naqueles que ainda estavam vivos. Para Lumikki, parecia que o líder do culto não queria que ninguém pesquisasse seu histórico familiar. É por isso que Lumikki decidira vir e ver se os túmulos revelariam algo suspeito.

Se encontrasse alguma inconsistência na história de Adam, talvez pudesse convencer Zelenka de que ela não podia permanecer no culto. Se ela pudesse mostrar que Adam mentira, talvez Zelenka parasse de acreditar em suas outras "verdades". Lumikki sabia que a tentativa era difícil, mas naquele momento ela não conseguia pensar em outra coisa.

Ela tinha de tirar sua irmã da esfera de influência de Adam e seu culto.

Lumikki andara da estação de metrô no centro da cidade para o cemitério e agora ela percebia que isso fora um erro. Ela colocara tênis pela manhã, mas agora parecia que sandálias abertas teriam sido uma opção melhor. Seus pés haviam transpirado dentro dos tênis, seus calcanhares estavam machucados e seus dedos estavam fervendo. Ela bebera sua garrafa de água inteira há meia hora. Estava claro que suara mais do que consumira líquidos. Sua cabeça logo começaria a doer.

Seu estado doloroso em nada era atenuado pois encontrar o túmulo dos avós de Zelenka parecia totalmente impossível. Além do cemitério ser enorme e Lumikki achar difícil notar qualquer ordem lógica, o lugar parecia, mesmo no meio do dia, como o pior dos pesadelos góticos. Velhas árvores elevavam-se e criavam estranhas sombras sobre os túmulos. Lápides, cruzes e pedaços de muros estavam gastos pelo tempo. Pedaços haviam caído e algumas das estátuas pareciam ser muito grotescas, como anjos sem uma ou ambas as mãos, algumas não tinham nem mesmo a cabeça. Os escritos nas lápides haviam se desgastado e alguns deles eram difíceis de ser lidos.

Além disso, em dados lugares, trepadeiras verde-escuras cobriam o chão, troncos de árvores e lápides como um tapete macio e grosso.

Lumikki encontrou, só Deus sabe quantos, Franzs e Marias e ainda mais Havels e talvez até dezenas de lápides com os nomes Franz Havel ou Maria Havlová. Mas as datas não batiam. As pessoas que tinham vivido no século XVIII não serviam para muito agora. Ela sentia a dor de cabeça devido à desidratação começar a se rastejar da nuca em direção às têmporas. Logo, ela iria latejar na testa e, no pior dos casos, causar náusea. O almoço do culto também ainda girava em seu estômago, mas ela ao menos conseguira se livrar do gosto do trapo poeirento. Lumikki não queria vomitar no cemitério. Embora os mortos não fossem ligar, isso seria descortês com os vivos, os parentes visitando os túmulos.

Ela se sentou por um momento em um banco debaixo da sombra de árvores e respirou fundo. Era inútil ficar e continuar sua busca lá. Ela iria à loja mais próxima, compraria uma bebida gelada e perguntaria a Jiři se ele tinha alguma informação sobre os avós de Zelenka. Pois Jiři pesquisara os registros da igreja.

Havia sido um erro vir ao cemitério. Lumikki decidiu tomar aquilo como uma lição e um lembrete. Nunca faça planos com pressa. Faça alguma pesquisa antes.

Naquele instante, o telefone de Lumikki tocou. Seu pai. Lumikki não queria atender naquele momento, mas ela sabia, afinal, que aquilo era a melhor coisa a fazer. Senão seu pai e sua mãe começariam a se preocupar desnecessariamente.

— Você falou com Kaisa e aparentemente não pôde terminar o que estavam conversando. E era de fato para mim que você havia tentado ligar — disse seu pai.

— Ah sim, é verdade. Eu só queria lhe perguntar se você se divertiu aqui em Praga — respondeu Lumikki.

Ela deixou seus olhos pararem em uma lápide diante dela, quase totalmente coberta de trepadeiras. Ela não se arrependia totalmente de ter feito uma viagem inútil ao cemitério. A atmosfera onírica do lugar, de pesadelo, como um poema gótico, era inacreditavelmente agradável. Valera a pena vir só por isso.

— Como você sabia que eu estive em Praga? — A voz de seu pai era questionadora, quase hostil.

Lumikki pensou por um tempo. No fim, ela ainda não queria revelar tudo de uma vez para seu pai, pelo menos ainda não.

— Através de uma conhecida em comum. Ou deveria dizer uma conhecida do passado.

— Parece muito estranho que alguém aí pudesse se lembrar de mim depois de todos esses anos...

Lumikki não deixou seu pai continuar, ao contrário, ela foi direto ao assunto:

— Por que você nunca me contou que esteve aqui?

A linha ficou silenciosa por tanto tempo que Lumikki pensou que ela havia caído.

— Francamente, eu estava então tão triste e em um estado de espírito um pouco confuso que eu não gosto de pensar sobre aquela época. Na verdade, eu não me lembro muito — disse seu pai finalmente, com a voz abafada.

Você não se lembra que sua filha mais velha foi concebida aqui, Lumikki quis gritar no telefone.

— Então... é por isso que não contei. Não havia nada a contar.

Lumikki olhou irritada fixamente à sua frente. Está certo, nada a contar. Uma irmã, nada mais. Um mero detalhe.

— Bem, foi por isso que liguei hoje — disse Lumikki. — Eu não tinha mais nada a dizer.

— Está tudo bem aí? Você tem dinheiro o suficiente? O albergue é bom?

Seu pai mudara a voz de volta para a voz do pai preocupado, porém um pouco distante.

— Sim, sim. Tudo está bem. E estarei de volta daqui a alguns dias, de qualquer forma.

Possivelmente com uma irmã, Lumikki acrescentou em seu pensamento. Então seu pai teria uma oportunidade de pensar novamente em tudo que pertencia à categoria de "nada a contar".

Lumikki frequentemente pensara que sua família, de fato, representava os papéis de família. Sua mãe fazia o papel da mãe, seu pai o do pai e Lumikki fazia o papel da filha. Eles agiam como se estivessem em um cenário de filme, sendo constantemente filmados. Ela, durante muito tempo, pensara que fosse assim em todas as famílias, mas, em dado momento, quando tinha menos de dez anos, começou a observar outras famílias e seu comportamento, quando ela viu pais e mães com seus filhos, por exemplo, em supermercados ou em parques ou em reuniões familiares. Eles se comportavam de maneira diferente. Discutiam, riam, eram presentes e existiam. Na família de Lumikki eles não diziam coisas que vinham à cabeça, mas coisas que supunham que seus papéis deveriam dizer.

Isso fez a atmosfera em sua casa estranha e complicou conversas normais. Na teoria, o pai executivo e a mãe trabalhando em uma biblioteca lidavam com seus papéis como deveriam. Porém eles sempre pareciam estar dizendo as palavras que outra pessoa escrevera para eles. Eles não eram inteiros e vivos, mas sombras. Lumikki não sabia como seria capaz de ver pessoas reais por trás das sombras.

Entre as folhas verdes de três dentes ela pôde ver que havia um nome começando com F na lápide à sua frente. Lumikki decidiu checar mais uma. Apenas aquela.

Lumikki se levantou e caminhou até a lápide, começou a colocar a planta surpreendentemente teimosa para o lado. Franz. Franz Havel. E depois outro nome. Maria Havlová. O coração de Lumikki começou a bater rápido. As datas batiam.

— Bem, me ligue se algo acontecer — seu pai insistiu.

— Sim, sim. Tchauzinho!

Lumikki terminou a ligação como uma adolescente em um chilique, mas naquele instante ela queria se concentrar na lápide diante dela. Havia também um terceiro nome. A mão de Lumikki tremia enquanto afastava a trepadeira.

Klaus Havel. Nascido em 1940. Falecido em 1952.

Lumikki olhou fixamente para as datas por um momento, antes que sua dor de cabeça permitisse que sua mente lhe dissesse o que era estranho sobre aquelas datas.

Klaus Havel morrera com doze anos. Era extremamente improvável que ele pudesse ter sido o pai de Adam Havel. É claro que não era inteiramente impossível, mas a improbabilidade era tão grande que Lumikki podia jurar que Adam havia mentido para Zelenka. Lumikki tirou seu celular do bolso e tirou uma foto da lápide. Ela a mostraria para Zelenka. Talvez ela então acreditaria que a "família" e especialmente o "pai" não eram tão inocentes quanto ela imaginara.

Quando colocou o celular de volta no bolso, Lumikki sentiu o cheiro que ameaçou a transformar sua dor de cabeça em enxaqueca. Uma mistura de pós-barba e suor. O mesmo que sentira na noite anterior.

Lumikki não desperdiçou um segundo de tempo valioso olhando para trás, mas saiu correndo imediatamente.

A areia do caminho do cemitério rangia debaixo de seus tênis enquanto Lumikki corria com seu perseguidor logo atrás dela.

Bem, protejam-me pelo menos, ela pediu em pensamento para as estátuas de anjos desesperançadas, que a observavam com olhos vazios. Abram suas asas e provoquem uma tempestade que faça os inimigos caírem.

O ar quente à sua volta não se movia.

Seu perseguidor era rápido. Ele estava provavelmente muito mais descansado e hidratado do que Lumikki, que dormira apenas algumas horas na noite anterior, andara muito no calor e cuja pele suava, embora a esta altura todo suor deveria ter esgotado.

Lumikki correu para fora do cemitério através do portão. Havia uma estação de metrô ao seu lado. Ela tomou uma rápida decisão e correu para as escadas do metrô. A ideia de ir ao subterrâneo com um matador não era necessariamente atraente, mas ela contava com a possibilidade de que haveria provavelmente seguranças e de que seu perseguidor não faria nada em um metrô cheio de gente. Os passos pesados nas escadas lhe indicaram, entretanto, que seu perseguidor não desistira.

Lumikki viu que um trem estava acabando de chegar à estação. Ela correu para dentro entre os primeiros. Seu perseguidor teve de dar caminho às pessoas que saíam do trem, mas isso não o atrasou muito. Lumikki continuou a fugir dentro do trem, indo para um vagão mais distante. Ela viu o homem empurrando as pessoas para os lados para entrar e começar a se aproximar inevitavelmente de Lumikki.

Naquele instante, um trem indo em outra direção chegou na estação. Suas portas se abriram e as pessoas mudaram para o trem onde Lumikki e seu perseguidor estavam. Por sorte, dezenas de pessoas vieram justamente entre eles e Lumikki viu como o homem as empurrava furiosamente. Ele aparentemente não se importava nem um pouco que tinha um público. A expressão em seu rosto mostrava que ele estava pronto, se necessário, para matar Lumikki com suas próprias mãos bem diante dos olhos dos passageiros do metrô.

Lumikki tentou ficar mais calma possível. Ela contou os segundos. Teria de agir no último momento.

O homem se aproximou. As portas se fecharam. As portas do outro lado da plataforma ainda estavam abertas. Quando Lumikki viu que elas começavam a se fechar, ela apertou rapidamente o botão para abri-las e saiu correndo, atravessando a plataforma, tirou a mochila das costas e a segurou no ar acima de sua cabeça, virou para o lado e conseguiu no último segundo entrar em outro trem.

O trem começou a andar. Assim como o outro. Lumikki ainda teve tempo de ver seu perseguidor com o rosto vermelho socar a porta do vagão, em vão. O trem a levou para outra direção em alta velocidade.

Lumikki relaxou no assento e enxugou a maior parte do suor de suas têmporas com as mãos tremendo. Ao seu lado estava sentado um menino, talvez com dez anos, que olhava para ela com admiração descarada. O menino segurava uma lata de Fanta, que ofereceu para Lumikki levantando as sobrancelhas. Lumikki entendeu a oferta. Ela estava prestes a recusar, mas mudou de ideia.

Refrigerante morno e ligeiramente sem gás nunca tivera um gosto tão bom.

20

— Você decidiu correr uma maratona neste calor ou por que parece tão exausta?

Lumikki pensou como durante o dia ela ganhara uma irmã, fora aprisionada por uma seita, vagara por um cemitério e descobrira que Adam mentira e, agora há pouco, fugido de um homem que certamente havia sido enviado atrás dela para matá-la. Ela não estava para bate-papo.

Como o rosto de Lumikki continuou sério, Jiři rapidamente apagou seu sorriso.

— O que aconteceu? — perguntou ele, preocupado.

— Vamos entrar e eu lhe contarei — respondeu Lumikki.

Eles haviam combinado de se encontrar na casa de Jiři às cinco horas da tarde. Lumikki chegara cinco para as cinco e, como ninguém respondera a campainha, ela ficara e esperara, olhando constantemente ao seu redor.

Antes disso, Lumikki andara pela cidade com diferentes métodos de transporte até ter absoluta certeza de que se livrara do matador. Depois, ela fora a uma loja e comprara uma garrafa de um litro e meio de água e bebera quase tudo. A dor de cabeça causada pela desidratação melhorara e o gosto do trapo poeirento desaparecera.

Agora Lumikki queria tomar um banho e trocar de roupas. Queria lavar e tirar de sua pele a sensação de tudo o que acontecera, embora não fosse possível remover de sua mente.

Jiři abriu a porta do prédio rapidamente e eles subiram as escadas em silêncio. Lumikki não queria gritar sobre sua experiência nos corredores cheios de eco e, felizmente, Jiři não perguntou nada. Ele compreendeu que se tratava de algo sério agora. Quando chegaram ao andar superior, o andar de Jiři, Lumikki foi a primeira a notar:

— Você esqueceu sua porta aberta quando saiu pela manhã? — perguntou.

Jiři já se dirigira à porta que estava entreaberta e respondeu:

— Com certeza não.

O apartamento estava um caos total. Os móveis estavam revirados, o conteúdo dos armários havia sido jogado no chão e todas as gavetas haviam sido abertas, livros haviam sido atirados das estantes, pastas e papéis haviam sido vasculhados. Porém uma TV HD fina estava intocada, assim como o computador de Jiři e a câmera SLR. Então a zona não havia sido feita por ladrões, pois esses teriam sido os primeiros itens a serem levados.

Jiři disse milhares de palavrões em tcheco.

— Alguma coisa foi levada? — perguntou Lumikki enquanto juntava suas próprias coisas.

Ela não havia deixado nada além de roupas e um nécessaire no apartamento de Jiři. Em sua mochila, ela carregara o dia todo um pequeno livro de bolso um pouco usado de Jo Nesbø e sua carteira que tinha, por exemplo, seu passaporte. Carregar um livro de bolso era inútil, pois haviam tão poucos momentos de calma para ler naquela viagem. Todas as roupas de Lumikki estavam lá. A única coisa estranha é que seus sutiãs haviam sido cortados. Teria o invasor pensado que ela mantinha algum segredo de estado dentro dos enchimentos de seus sutiãs?

— É completamente impossível dizer ainda neste caos — resmungou Jiři, respondendo. — Provavelmente alguém esteve apenas procurando por algo aqui. Mas eu não sei o quê.

Ele jogou uma bolsa no chão e começou a colocar roupas, pastas e papéis nela.

— Não é seguro para nós ficarmos aqui — explicou ele, ao ver o rosto de interrogação de Lumikki. — Quem quer que tenha vindo aqui é capaz de invadir novamente a qualquer momento quando quiser.

— Então para onde iremos? — perguntou Lumikki.

Ela já tivera tempo de guardar seus poucos pertences em sua mochila.

— Para um lugar que é seguro dia e noite.

Lumikki parou escondida atrás de uma árvore e esperou. Ela já esperara por duas horas, mas também teria paciência para esperar mais. Tomou um gole de sua garrafa. Felizmente havia um pouco de sombra entre as árvores. Quando Lumikki fugira da casa, ela não pensara que voltaria no mesmo dia.

A cerca preta de ferro parecia barras de uma prisão. Uma prisão. Era isso que o culto era para Zelenka? Lumikki não podia ter certeza, mas era isso que infelizmente parecia. Pois Zelenka não era livre para se mover para onde e quando quisesse, não era livre para estudar ou trabalhar, estar em contato com outras pessoas, fazer o que quisesse. E se fosse verdade que ela fora atraída para a Família Branca com uma história inventada sobre uma relação familiar, a prisão parecia mais opressiva ainda para Lumikki.

Ela contara a Jiři o que descobrira no cemitério quando caminhavam em direção ao escritório da Super8, que, segundo Jiři, seria um bom lugar para eles passarem pelo menos algumas noites.

— Segundo minhas informações, Adam Havel nasceu em 1950. Klaus Havel, de dez anos, não podia de maneira alguma ter sido seu pai — dissera Jiři. — As relações familiares dos membros do culto têm muitas falhas lógicas como essa. Mas o fato de Adam ser o líder do culto é ainda mais importante. Eu tenho tentado conseguir informações sobre o líder do culto de meus entrevistados, mas nenhum deles teve até hoje coragem de revelar seu nome. Eu, é claro, sei que Adam Havel é um membro do culto, mas eu não sabia sua posição. Tenho de começar a pesquisar seu histórico com mais detalhes.

— E eu tenho de levar uma mensagem para Zelenka.

— Você parece realmente gostar dessa jovem.

Lumikki fizera apenas um gesto afirmativo. Sim, ela gostava de Zelenka. Ela ganhara uma irmã e não iria desistir dela.

É por isso que deixara Jiři nos escritórios da Super8 estudando o passado de Adam Havel enquanto ela voltava para a casa do culto e decidia esperar até Zelenka aparecer lá fora.

Até então apenas uma mulher de meia-idade estivera fora. Ela regara as rosas brancas no pátio com um regador de lata, que estava muito enferrujado. Os pés de Lumikki começaram a adormecer depois de ficarem tanto tempo no mesmo local. Moveu seu peso de um pé para o outro e os alongou cuidadosamente. Com certeza, Zelenka teria de sair em algum momento. Ou pelo menos Lumikki assim esperava.

Finalmente, a porta dos fundos se abriu e Lumikki viu um cabelo trançado conhecido. Zelenka. Ela parecia triste, de algum modo rendida. Lumikki assobiou. Zelenka olhou em sua direção e a viu. Lumikki levou rapidamente um dedo aos seus lábios.

Elas não podiam arriscar que os outros membros do culto a vissem. Zelenka olhou ao seu redor com certa hesitação e então caminhou para perto da cerca de ferro. Ela tombou ligeiramente a cabeça em direção à casa e depois a balançou quase imperceptivelmente. Lumikki entendeu pelo gesto que Zelenka não podia ir além do pátio.

Felizmente, Lumikki havia se preparado para isso. Ela balançou um papel para Zelenka, no qual escrevera um recado. Em seguida, amassou o papel em uma bola e o atirou pela cerca. A bola de papel caiu a um metro dos pés de Zelenka.

Naquele instante, a porta dos fundos se abriu e um jovem saiu. Zelenka deu um passo para trás e colocou um pé sobre a bola de papel sem olhar para baixo. O homem gritou algo para ela, que respondeu. O tom de voz do homem se tornou impaciente, mas Zelenka apenas encolheu os ombros. Curvou-se rapidamente e pegou a bola de papel. Depois olhou rapidamente para Lumikki mais uma vez antes de entrar.

Lumikki soltou o ar de seus pulmões. Ela havia, sem perceber, prendido a respiração.

Ela escrevera uma mensagem, esperando encontrar Zelenka no dia seguinte ao meio-dia, no mesmo local onde elas haviam conversado pela primeira vez. Lumikki acreditava que até o dia seguinte Zelenka acharia algum modo de escapar para a cidade.

Os pés de Lumikki pareciam estranhamente pesados quando ela começou a voltar para o centro da cidade. O suor escorria em suas costas. Ela lambeu os lábios, o gosto de sal espalhou-se em sua boca, intenso e mordaz.

O céu escurecera, com tinta azul-escura. As luzes da cidade brilhavam e refletiam nas grandes janelas da Super8. Do nono andar do prédio do escritório, era possível ver toda a cidade até o castelo iluminado. Lumikki lutava para manter os olhos abertos. Ela estava tão cansada que temia dormir sentada.

Jiři colocara alguns colchões de viagem no canto do escritório e também encontrara alguns sacos de dormir.

— É bom que a empresa tenha um departamento de escalada de montanhas — disse ele e sorriu.

Aparentemente não era uma piada.

Uma luz azul brilhava do computador de Jiři. Ele estava sentado diante dele sem se mexer durante as últimas três horas. Antes disso, se movera apenas para pegar as caixas de papelão de comida que o rapaz da entrega trouxera do restaurante chinês. Lumikki recebera a tarefa de pesquisar a árvore genealógica, que estava cheia de anotações a caneta de Jiři, pontos de interrogação e setas. Os papéis não haviam revelado nenhum segredo para Lumikki.

Ela decidiu fechar os olhos por um momento. Descansar um pouco. O dia fora longo e duro. Se ela deixasse os olhos se fecharem por um ou dois segundos...

Lumikki acordou quando sua testa bateu em uma pilha de papéis. Jiři virou para ela.

— Vá dormir.

— Está tudo bem, sem problemas aqui — alegou Lumikki, embora estivesse bocejando.

— Ou coma um pouco de tofu com chili. Isso irá acordá-la.

Jiři empurrou uma caixa pela mesa.

— Tofu frio? Muito obrigada, mas eu acho que vou deixar passar esta experiência gourmet — respondeu Lumikki. — Além disso, minha barriga já está totalmente cheia. Você deve ter pedido comida para dez pessoas.

— Bem, a escolha é sua. Mas então não... Eureca!

Jiři gritou a última palavra tão alto que Lumikki estremeceu sem querer.

— Venha ver!

Lumikki foi para o lado de Jiři. Havia uma foto de um homem vestido em um traje branco de linho fino, de aproximadamente trinta anos de idade. Seus cabelos longos estavam presos em um rabo de cavalo firme. Lumikki reconhecia os olhos penetrantes e as sobrancelhas grossas como as de uma coruja, embora o homem na foto fosse mais jovem.

— Adam Havel — disse Lumikki.

— Ou Adam Smith, de fato. Também conhecido como nosso amigo Adam Havel. Esta foto é de 1980, mas eu também reconheci os traços — disse Jiři com entusiasmo.

— "Nebraska" — Lumikki leu a legenda.

— Isso mesmo. Havia uma seita religiosa chamada Irmãos Brancos, cujos membros eram todos jovens rapazes que acreditavam ser parentes de Jesus. O líder do grupo era Adam Smith que, entretanto, desapareceu. Aparentemente somente reapareceu mais tarde em Praga com um conceito bem parecido. Mas desta vez ele decidira aceitar mulheres também.

— Por que ele desapareceu? — perguntou Lumikki.

— Ele conseguira fazer com que os membros do culto acreditassem que teriam de lhe dar todos os seus pertences, para que ele os doasse para instituições de caridade. Para que ficassem puros ao máximo para enfrentar a morte.

Subitamente melancólico, Jiři olhou para Lumikki.

— Os Irmãos Brancos deveriam cometer um suicídio em massa. Adam Smith com os outros. A polícia, entretanto, descobriu e conseguiu salvar a maioria dos membros do culto que estavam deitados em uma pequena cabana quase mortos por monóxido de carbono. Adam Smith desaparecera. Com o dinheiro.

Subitamente, Lumikki não estava mais com sono.

— A Família Branca não está planejando nenhum ataque contra pessoas de fora.

Jiři balançou a cabeça.

Nenhum dos dois precisaria dizer em voz alta. A palavra, entretanto, os cercava. Congelante. Um suicídio em massa.

SEGUNDA-FEIRA, *20 de junho*

21

Lumikki olhou para o relógio. Eram onze e quarenta e cinco. Ela chegaria no horário no local combinado caso se apressasse.

Ela havia combinado com Jiři que iria se encontrar com Zelenka e tentaria fazê-la vir consigo, deixando o culto imediatamente. Além disso, seria importante saber se a data de um possível suicídio em massa já existia. Ao mesmo tempo, Jiři tinha uma reunião com a diretora da Super8 que contratara a história sobre o culto.

Lumikki percebera tarde demais o que estava acontecendo quando mãos fortes a agarraram na rua e a jogaram em um carro, apertando-a contra o banco traseiro. O metal frio de um revólver beijou seu pescoço.

— Não tente nada nem dê um pio ou então você morre — disparou o homem em seu ouvido.

Lumikki nunca estivera tão perto de seu perseguidor antes. Nem quereria estar. Ela viu o homem mexendo em um rolo de fita adesiva com sua outra mão. Lumikki imaginou que a intenção era silenciar sua boca, amarrar seus pulsos e tornozelos e depois dirigir para algum lugar longe das multidões para fazer o que fosse que ele planejava fazer.

Lumikki não queria descobrir o que era. Uma fúria inflamada cresceu dentro dela. Mais uma vez, ela fora tragada para algo que, de fato, não tinha nada a ver com ela. Sem que ninguém lhe pedisse.

Não havia tempo a perder. Ela precisava agir imediatamente. Usar o elemento-surpresa era possível apenas por um momento.

Lumikki fingiu fazer um gesto afirmativo como sinal de entendimento e aceitação. Mas, em seguida, ela continuou o movimento tão rápido como um raio e acertou o homem no nariz com sua testa. A mão que a segurava afrouxou mais de surpresa do que de dor, enquanto sangue espirrava na blusa branca de algodão de Lumikki.

Lumikki se soltou, conseguiu abrir a porta do carro e correu para a rua. Seguiu em frente e percebeu pelo crescente número de pessoas que ela tinha de estar em algum lugar perto da Ponte Carlos, que atraía turistas como um enorme ímã. No fim da ponte, a multidão se tornou ainda mais densa. As pessoas ficavam paradas e olhavam enquanto Lumikki tentava desesperadamente passar por elas. O que diabos estavam esperando?

Lumikki também olhou para cima e compreendeu. Um trompetista aparecera no terraço e estava prestes a começar a canção de meio-dia. A entrada da ponte estava totalmente lotada. Lumikki olhou para trás. Teria ela conseguido se livrar do perseguidor? Não havia sinal dele? Lumikki foi abrindo caminho em direção ao centro da multidão para se esconder. Seu coração batia assustadoramente rápido.

De repente, Lumikki ouviu um barulho atrás dela. Olhou por cima do ombro e viu o vislumbre de um homem a distância, mas não muito longe. O homem a notou e empurrou algumas mulheres para o lado, que ficaram para trás proferindo palavrões em francês para ele.

Lumikki pensou rápido. Tentaria ela fugir através da Ponte Carlos lotada ou continuaria na mesma margem do rio que antes? Talvez fosse quase impossível se mover na ponte. Por outro lado, o perseguidor teria o mesmo problema. E talvez ele não ousaria começar a atirar na ponte ou agarrar Lumikki violentamente. Havia muitas testemunhas oculares.

A decisão foi tomada. Lumikki se abaixou para escorrer para baixo do braço de um homem japonês no exato momento em que ele levantava seu celular para tirar uma foto do trompetista. Ela não viu, mas ouviu alguns segundos mais tarde o perseguidor bater no braço do homem japonês, o celular ser jogado no ar e cair na calçada. Julgando pelo tom agitado da voz do homem japonês, a história do celular acabara onde caíra.

Trinta estátuas de santos guardavam a ponte de cada lado. São João Nepomuceno, São Vito, São Luthgard, São João Batista, São Venceslau, São Segismund, São Judas Tadeu, São Francisco de Assis. Os nomes que Lumikki lera em um guia turístico ecoavam em sua cabeça no mesmo ritmo em que seus pés pisavam na superfície da ponte de pedra enquanto corria. Uma ponte de pedra. Esse era o nome anterior da Ponte Carlos. Que imaginação devia ter a pessoa que deu o nome.

Suor salgado corria nos olhos de Lumikki e ela o enxugava com a mão. Não conseguiria correr cega na ponte. Era difícil o suficiente tentar evitar ir de encontro a turistas, pessoas vendendo bugigangas, artistas de rua e músicos. Suas sandálias faziam seus pés sangrar. Não eram calçados para corrida e a blusa de algodão agora encharcada não servia para correr também. Vinte e nove graus também não era o melhor clima para se correr, mas desta vez Lumikki não podia escolher as condições. Ela tinha apenas de seguir em frente, tentando fugir.

O homem chegou bem atrás dela, a apenas alguns metros.

Os turistas perceberam a perseguição. Eles pensaram tratar-se de um show. Alguns gritaram torcendo para Lumikki, outros para o perseguidor.

Um quinteto tocando alguma peça dramática de ópera se atrapalhou com suas notas quando Lumikki passou correndo por eles. Ela os ouviu trocando a peça para uma mais leve. Beatles.

You better run for your life if you can little girl. (É melhor você correr para sua vida se puder, garotinha.)[12]

Obrigada. Só que eu estou correndo pela minha vida aqui, Lumikki teve tempo de pensar antes de trombar com uma alemã gorda que acabara de dar um passo de lado decisivo para entrar no caminho.

— Meu Deus! — gritou a mulher.

— Desculpe me! — Lumikki respondeu e continuou correndo.

Por sorte, a alemã também conseguiu atrasar o perseguidor, que a empurrou para o lado bruscamente sem se desculpar.

Enquanto tentava acelerar e sentia o suor correr pelas suas pernas como rios, Lumikki não conseguia mais evitar as pessoas na multidão tão bem quanto no começo da ponte.

Uma noiva japonesa estava sendo fotografada no meio da ponte. Lumikki não tinha certeza se a cena era real ou encenada. A noiva tinha um véu inacreditavelmente espalhafatoso sobre o qual Lumikki conseguiu saltar no último minuto. O som de cetim sendo rasgado alguns segundos mais tarde revelou que o perseguidor não tivera a mesma sorte.

Lumikki conseguiu se afastar um pouco novamente.

Em seguida, havia um grupo de turistas americanos acompanhados de um guia bloqueando o caminho. Lumikki olhou para a parede de pessoas horrorizada, mas então viu uma brecha estreita, por onde ela, por pouco, não consegue passar de lado.

[12] Trecho da música *Run for your life*, dos Beatles. (N. T.)

— E como podem ver, aqui temos uma estátua de uma... garota correndo... quero dizer...

Lumikki não ficou para ouvir como o guia recompôs sua fala. O perseguidor conseguira atravessar a parede ianque como um quebra-gelo. Sua vantagem se tornara quase inexistente. Lumikki sentiu o calor ameaçar nauseá-la e deixar sua cabeça tonta. Sua boca ficara totalmente seca já há muito tempo. Parecia que jamais bebera uma gota de água em sua vida inteira.

Suas pernas tremiam. O cotovelo de Lumikki atingiu o braço de um caricaturista bem no momento em que ele delineava o nariz de um homem de barba preta. Que seja, um nariz um pouco mais forte apenas melhora o desenho! A multidão fez Lumikki ir bem para a beirada da ponte. Ela teve de agarrar a placa memorial de uma estátua para evitar bater seus quadris com força nos ferros da ponte. A placa memorial brilhava devido a milhares de pessoas que a haviam tocado. A estátua de São João Nepomuceno.

Um santo mártir tcheco, que foi executado sendo jogado da ponte.

Não dá para acreditar como nos lembramos do que um guia fala. Lumikki também se lembrava que tocar a estátua deveria trazer boa sorte e assegurar que qualquer um que a toque retorne a Praga.

Ela realmente precisava de boa sorte agora. Ouviu a respiração pesada do perseguidor perto demais. Porém não tinha certeza nenhuma se iria querer um dia voltar a Praga, se ela sobrevivesse para deixá-la.

Lumikki estava quase no fim da ponte. Seu coração batia forte, enquanto tentava ajudar o oxigênio ir para os seus músculos, que estavam à beira da exaustão. Lumikki sentia seu corpo tão quente que todo o organismo parecia ferver.

Alguém fazendo música com copos de vidro. Inacreditável. Lumikki viu um homem velho e frágil diante dela tocando música com copos igualmente frágeis, dezenas deles em três andares diante dele. Lumikki usou toda sua força e equilíbrio para conseguir passar pelo homem pelo seu lado esquerdo com segurança sem que nenhum copo quebrasse.

O velho, que parecia ser feito de vidro pálido, levantou a mão para lhe agradecer.

Cedo demais.

Lumikki ouviu os passos pesados de seu perseguidor se aproximando dela, o velho gritou, um copo quebrou, depois outro, um terceiro, um quarto. Um efeito dominó fez os copos quebrarem, baterem em outros copos e, assim, quebrarem uns aos outros. O perseguidor gritou e falou palavrões. Ele tinha aparentemente se machucado e ficado muito para trás.

Lumikki correu para fora da ponte e jurou que jamais a atravessaria voluntariamente de novo.

Saber da probabilidade de não ser alcançada pelo perseguidor fez Lumikki se sentir melhor imediatamente. De repente, ela tinha mais forças nas pernas, o ar quente não as queimava mais, as sandálias já não incomodavam seus pés, o suor que escorria era agora refrescante.

Ela correu até a escada que levava à catedral de São Vito e começou a subi-la de dois em dois degraus. A alegria de ter conseguido fugir lhe deu asas. Ela estaria alguns minutos atrasadas para seu encontro, mas chegaria viva. Isso não havia sido uma certeza absoluta.

— Vai, vai, vai! — os menininhos encorajavam Lumikki.

Ela ainda olhou para trás, embora já estive certa. Ninguém a seguia.

Agora ela podia só esperar que Zelenka estaria a aguardando no local combinado.

22

Duas meninas olhavam do espelho. Uma maior e uma menor. Irmãs. Elas estavam de mãos dadas.

A imagem repetiu-se diante dos olhos de Lumikki. Agora via a ela mesma e Zelenka no espelho. Elas foram ao banheiro no mesmo café onde elas haviam se encontrado pela primeira vez. Lumikki pensara que, para começar, o perseguidor, não saberia procurá-la lá, apesar de, por alguma razão, ele haver conseguido traçar seu paradeiro até ali. Talvez o homem não se arriscasse chamar a atenção entrando no banheiro feminino.

A blusa de Lumikki estava horrorosa. Vermelho no branco. Como se ela estivesse vindo de um abatedouro. Uma garçonete do café olhara para ela com as sobrancelhas erguidas, mas aparentemente a expressão no rosto de Lumikki era tão sinistra que ela decidira não dizer nada.

Zelenka balançou a cabeça e lágrimas rolavam em seu rosto.

— Eu não posso partir — disse ela.

É isso que estivera repetindo sem parar, embora Lumikki houvesse tentado convencê-la que se Zelenka não fosse com ela agora, ela poderia morrer.

— É fatalmente perigoso voltar para lá. Aquele Adam louco está planejando matá-los todos.

Lumikki tentava manter sua voz calma, embora quisesse gritar.

— Teremos a vida eterna — alegou Zelenka.

Lumikki bateu as palmas das mãos na pia de frustração. O que se podia dizer para essas pessoas que sofreram lavagem cerebral, enlouqueceram, para que entendam?

— Certamente você terá vida eterna, se você assim acredita — suspirou. — Mas não deve haver pressa para isso. Você terá tempo de tê-la após décadas, quando você tiver vivido uma vida completa nesta Terra e morrer de velhice.

— Não posso escolher o momento de minha morte. Somente tenho de aceitar o que foi decido nos céus.

Zelenka dizia as palavras como uma máquina. Elas saíam como uma velha fita cassete que fora tocada muitas vezes.

— Você não terá de aceitar. Você pode tomar sua própria decisão.

— Se eu partir, ficarei sem nada. Eu não tenho nada. Eu não tenho ninguém.

Lumikki agarrou a mão de Zelenka. Através do espelho ela olhou direto em seus olhos.

— Você tem a mim. Os membros do culto nem são seus parentes. Eu sou sua irmã. Eu a ajudarei.

Zelenka apenas balançou a cabeça e chorou ainda mais incontrolavelmente.

— Não. Não é verdade — disse.

— Sim, é. Eu juro.

— Não, não é. Eu menti para você. Inventei toda a história sobre sermos irmãs. É um conto de fadas.

Lumikki soltou a mão de Zelenka. De repente, ela ficara completamente fraca. Ela não pudera prever aquilo. Que Zelenka havia mentido para ela, muito menos o quão horrível isso seria para ela. A peça crucial do quebra-cabeça completando um velho segredo fora subitamente, com uma frase, tirada. E o buraco que ela deixava era maior e mais vazio do que antes. Lumikki compreendeu apenas agora o quanto esperara que Zelenka ajudasse a solucionar o segredo.

Uma irmã havia sido tirada dela.

— Eu a espionei — disse Zelenka.

— Por quê? — perguntou Lumikki.

Ela falava como uma máquina. Seus pensamentos estavam encobertos por uma cortina escura, mas aparentemente sua boca continuava produzindo palavras coerentes.

— Eu sabia que meu pai falava sueco. Isso minha mãe me contou. Mas tirando isso, ela se recusou a contar qualquer outra coisa sobre ele. Por coincidência, eu a ouvi falando sueco com um grupo de turistas.

Lumikki subitamente se lembrou. Um grupo de aposentados suecos tentara perguntar o caminho para ela usando um inglês um pouco fraco, então Lumikki os ajudara respondendo em sueco, deixando os pensionistas tão felizes que eles ofereceram um sorvete para ela. Lumikki recusou a oferta. Vai saber se ela terminaria como guia turístico e leitora de mapas do grupo.

— Eu a segui e descobri seu nome no albergue. Eu ouvi você conversando no telefone com uma pessoa que primeiro chamou de Peter e depois de pai.

Lumikki se lembrava daquela conversa também. Ela ligara para seu pai e ele atendera a ligação tão formalmente "Peter Andersson", Lumikki repetira com o mesmo tom de voz. Seu pai explicara que ele não vira o nome de quem ligava na tela do celular por causa da luz forte do sol e por isso atendera o telefone dizendo seu nome completo.

— Mas por quê? — Lumikki conseguiu perguntar à Zelenka, embora sua voz quase tenha ficado presa em sua garganta.

Não se lembrava de ninguém que tivesse sido capaz de mentir tão habilmente para ela. Talvez simplesmente quisera demais confiar e encontrar a peça que falta do quebra-cabeça.

— Porque eu não tenho ninguém realmente próximo a mim na Família Branca. Todos os outros têm alguém, que é mais "dele" ou "dela" do que os outros. E eu sempre quis uma irmã. Eu pensei que se eu tivesse uma irmã, eu não seria tão solitária. Até mesmo uma irmã imaginária. Venho criando uma história sobre uma irmã há muitos anos. Parecia tão real que quase comecei a acreditar. E quando eu a vi, eu soube imediatamente. Você é minha irmã de conto de fadas.

Lumikki ouviu as palavras de Zelenka e as compreendeu, mas se sentia totalmente fria. Tudo o que podia pensar era que Zelenka a traíra.

Lumikki não disse nada. Zelenka também ficou quieta. Duas mulheres no espelho. Totais estranhas.

— Então, entende, eu realmente não tenho ninguém nem nada. Nada exceto a Família Branca e a minha fé.

Lumikki não tinha forças para lhe dizer o contrário. Não tinha forças para convencer Zelenka. Deixe que ela faça o que quiser fazer. Isso não tinha mais nada a ver com Lumikki. Jamais tivera.

Zelenka tocou levemente o ombro de Lumikki e partiu. Lumikki nem olhou para ela.

Ela foi deixada olhando para si mesma, para sua blusa ensanguentada. Ela se lembrou de seu sonho. As lágrimas de sangue. Você é minha irmã. Fora tudo apenas imaginação, um pesadelo, uma mentira?

Uma mulher agarrou seu celular. Não havia tempo a perder. Quando alguém atendeu o telefone ela foi direto ao assunto.

— A garota não foi eliminada. No pior dos casos, ela pode acabar com tudo. Precisamos acelerar os planos. Tem de acontecer hoje.

— Hoje? Não tenho certeza se isso funcionará...

— Tem de funcionar. Temos tudo pronto. Posso iniciar o processo a qualquer hora. Você terá de ser capaz de cuidar da sua parte. Diga, por exemplo, que você recebeu uma ordem direta de uma fonte superior. Então você não estará mentindo.

— Mentiras nunca foram um problema para mim.

— Neste sentido somos diferentes. Eu não quero falar mentiras. Eu quero contar histórias reais, pois elas tocam mais as pessoas.

— E eu estou mentindo para conseguir para você a melhor história real de sua vida.

— É para isso que você é pago.

— Talvez nesta vida, mas e na próxima?

— Quem quer pensar tão longe?

— Está certo. Hoje então. A princípio tudo está pronto. Tudo o que precisamos é de uma pequena faísca...

— ... e a pira está pronta. Do modo que ela deve estar. Às sete em ponto?

— Parece bom.

Vera Sováková passou a mão sobre sua mesa. Ela pensava em como o noticiário da noite estaria cheio disso e só isso. Em seu canal principalmente. Em seu canal com mais profundidade e detalhes. E no próximo dia nos jornais, em seus jornais. Durante semanas. Grandes fotos, lágrimas, entrevistas pormenorizadas, análises de especialistas. Tragédia sem fim, que, no entanto, tem um raio de esperança. Uma história com um herói.

Ela não pensava se suas ações eram imorais. É claro que eram. Morais, entretanto, não vendiam jornais, muito menos espaço para propaganda. Quanto mais leitores e espectadores, mais anúncios e mais dinheiro para notícias ainda melhores. Histórias ainda maiores e comoventes para as pessoas, que ansiavam ser comovidas e tocadas. Não com ficção, mas com histórias de verdade.

Vera Sováková sabia que não era a única no negócio que tinha uma visão flexível de moralidade. Notícias pagas, telefones grampeados, demissão de jornalistas que se tornavam difíceis, espionagem de políticos e líderes de negócios. A mídia tinha tudo isso. Ela talvez tenha levado as coisas mais longe do que os outros. Ou como se podia saber? Vera Sováková não era do tipo que acreditava em conspirações, mas, às vezes, grandes notícias e tragédias humanas parecem ir surpreendentemente lado a lado com crises financeiras de certas companhias midiáticas.

Seriam todas as coincidências realmente coincidências? Ou estaria alguém manipulando as pessoas do tabuleiro também?

— Como você vai garantir que seu herói não sairá do *script*? Que ele não agirá cedo demais?

Vera sabia que o herói que escolhera sempre fora o maior fator de risco do plano. Ela tivera de manipular seus sentimentos e agir com o máximo de cuidado e tato possível. Vera arranjara os entrevistados, oferecera as informações e também dera um jeito para que a casa dele fosse bagunçada para ser deixada "no maior caos possível", como Vera havia dito. De fato, Vera nem pensava nele como um homem, mas como um menininho que podia ser manipulado com cordões, tal como uma marionete. Um herói que pensava que solucionara tudo sozinho, embora na realidade ele tivera a informação exatamente quando Vera quisera que a tivesse.

— Eu darei as instruções exatas para ele. E, acredite em mim, há ambição nele de repórter herói suficiente para que faça exatamente o que eu diga. Eu lhe direi que a polícia e o grupo de resgate estarão a caminho do local em tempo. Ele irá querer uma aventura. Quer ser aquele que revela a história, ser o rosto. Teremos de parar agora. O rosto chegou.

Verá Sováková desligou o telefone no exato momento que Jiři Hašek bateu à porta e chegou ao local combinado.

23

A escuridão completa chegara. Diante dos olhos de Lumikki havia uma escuridão total e ela gostava daquilo. Por um momento, desejou que a escuridão continuasse e que fosse capaz de inalá-la calmamente, sem pensar sobre nada, nem sobre as pessoas ao seu redor. Uma luz foi acesa, porém; no palco, uma silhueta de uma floresta sombria, mas bela, do tipo em que seria fácil se perder, se abriu diante dos espectadores. O conto de fadas podia começar.

Depois que Zelenka deixara o café, Lumikki ficara sentada parada, por um momento. Depois, pusera o telefone no modo silencioso, pois não queria que ninguém a incomodasse e nada nem ninguém a incomodaria. Finalmente, Lumikki começara a andar como uma sonâmbula.

Zelenka mentira.

Zelenka não era sua irmã afinal.

O segredo não fora revelado, nada fora solucionado. Lumikki fora apenas o alvo dos sonhos de uma mulher perturbada. A verdade era entorpecedora. Lumikki não era capaz de sentir raiva de Zelenka. Nem mágoa. Apenas indiferença e vazio.

Não importa nem um pouco. Não importaria nem um pouco se ela não visse Zelenka novamente. Não importaria nem um pouco se o culto inteiro se matasse. Que seja. Ela não tinha nada a ver com aquilo de maneira alguma. Ela fora usada como um peão em um jogo imaginário estranho e doente, que confundira sua cabeça.

Como uma sonâmbula, Lumikki vagara dentro da velha cidade e lá, de impulso, entrara através de uma porta que levava para uma escadaria. Um teatro em um porão, onde um teatro de sombras estava prestes a começar.

Ela bem que podia dar uma de turista em seus últimos dias em Praga, ir a exposições e ao teatro. Era para isso que ela viera, afinal. Descobrir a cidade só, ficar só, fazer coisas só que naquele momento, por acaso, pareciam interessantes. Embora, na realidade, Lumikki soubesse que ela queria fugir de seus próprios pensamentos e de todo o caos no qual se metera. Ao menos, por um momento, ela queria algo completamente diferente, algo belo.

Lumikki pagara o ingresso e se sentara na última fileira em um assento de madeira coberto por um tecido de cetim gasto. O teatro tinha apenas meia lotação, assim, ela pôde se sentar em sua fileira sozinha. Isso era bom. Uma garota que cheirava a suor e cuja blusa estava coberta por uma mancha de sangue seco certamente não seria uma boa companhia no teatro para ninguém.

O teatro de sombras era totalmente silencioso. Ele criava a história diante do público com apenas música e sombras.

Era uma vez duas princesas, que eram as melhores amigas em todo mundo. Elas fugiram de bestas e monstros na floresta de mãos dadas. Elas se protegeram e se salvaram repetidas vezes.

Uma escovava os longos cabelos da outra e contava outros contos de fadas. Ninguém e nada podia separá-las.

Lumikki olhou para as sombras que mudavam de forma e faziam as princesas rir e, em outros momentos, as faziam pular sobre riachos. Elas pareciam totalmente vivas, embora fossem apenas silhuetas escuras contra um fundo branco. Ela conseguiu bloquear Zelenka, Jiři, o culto, toda Praga. Conseguiu bloquear até o resto do público.

Havia apenas Lumikki e as sombras.

Um dia uma das princesas desapareceu. A princesa que ficou para trás procurou e procurou por ela, correu em zigue-zague pela floresta, chorou e se lamentou. Mas a outra princesa não estava em lugar nenhum. Um ano se passou, e mais um, no total sete longos anos se passaram. O sol e a lua atravessaram o horizonte milhares de vezes. A princesa já não ria mais. Ela apenas ficava sentada todos os dias na floresta e cantava uma canção triste, que elas às vezes cantavam juntas no passado em uma versão feliz.

Então a princesa recebeu a informação que muito longe, por trás de sete montanhas e sete mares existia uma torre, onde havia uma princesa aprisionada. Um dragão furioso guardava a torre e não deixava que ninguém fosse salvar a princesa. Sabendo disso, a princesa viajou atravessando sete montanhas e sete mares para ver se era sua amiga há tanto perdida.

Quando ela chegou à torre, o dragão estava bem no topo, soprando chamas, que haviam queimado o solo em volta da torre, deixando-o todo enegrecido. Ela olhou para a janela da torre e viu a outra princesa, sua amiga. Em uníssono, elas gritaram de alegria ao se reconhecerem. A que viera de longe gritou que salvaria aquela aprisionada na torre. Ela respondeu que não adiantaria tentar, pois o dragão poderia voltar a qualquer hora e queimar quem a salvasse até a morte. A outra princesa, porém, disse que elas haviam prometido sempre salvarem uma a outra e começou a subir a torre.

Quando ela chegou, elas se abraçaram por muito tempo e sorriram. De repente, entretanto, o olhar da outra princesa mudou. Seus olhos mudaram, suas mãos mudaram, seus cabelos se transformaram em escamas, a bainha de seu vestido se transformou em uma longa cauda, os laços em seu cabelo se tornaram asas. Em um instante, a princesa que viera de longe percebeu que estava olhando nos olhos de um dragão.

Mas ela não ficou com medo. Tocou suavemente a testa do dragão e lhe disse que tinha uma princesa dentro dela. Ou que ela era uma princesa que tinha um dragão dentro dela. O dragão olhou para sua amiga princesa e compreendeu. Grandes lágrimas pretas começaram a cair de seus olhos, escorreram das paredes da torre e regaram o solo queimado, fazendo-o começar a se recuperar. A princesa-dragão chorou, porque ela sabia que as pessoas não seriam capazes de aceitá-la por ser um dragão. E dragões não seriam capazes de aceitá-la, por ser humana.

Então a princesa que viera de longe colocou os braços em torno do dragão e prometeu que as duas ficariam juntas não importa o que acontecesse. Elas não precisariam de ninguém mais. Elas procurariam uma terra onde princesas e dragões pudessem viver em harmonia, mesmo dentro de uma única pessoa.

Na cena final do teatro de sombras, o dragão voou em direção à lua cheia com uma princesa em seu dorso.

Lumikki notou que seu rosto estava molhado. Ela o enxugou, surpresa. Ela chorara? Parecia que sim. Não conseguia se lembrar da última vez que havia chorado. Pensara que havia perdido a capacidade de chorar de verdade.

Estivera tão imersa no conto de fadas do teatro de sombras que esquecera por um momento de si mesma e de seus pensamentos conscientes. Pensamentos e sentimentos subliminares haviam vindo à superfície. O conto de fadas trouxera à tona muitas imagens de coisas diferentes.

Lumikki e Liekki.

Lumikki e Zelenka.

Lumikki e alguém com quem ela atuou, quando criança, em um conto de fadas sobre duas garotas chamadas Branca de Neve e Rosa Vermelha. Ela, de repente, lembrou-se com muita clareza da história e do jogo. No conto, um príncipe, que havia sido transformado em urso, ajudou as garotas. Ela adorara participar, embora não entendesse completamente. A menina com quem atuara era um pouco mais velha e lhe contara o conto de fadas durante a peça. Branca de Neve e Rosa Vermelha estavam sempre juntas e se salvavam, assim como as princesas no teatro de sombras.

Zelenka salvara Lumikki. Não importa o quanto odiava sua mentira, ela não podia negar o fato que Zelenka a salvara. Zelenka se arriscara e se colocara conscientemente em perigo por causa dela. Zelenka a ajudara a escapar, embora ela soubesse que Lumikki não fosse realmente sua irmã e embora ajudá-la pudesse ter um preço para Zelenka.

O resto do público já tinha deixado o teatro e a senhora que vendia ingressos viera tossir à porta para dar uma indireta. Lumikki se levantou. Ela estava um pouco tonta, mas a sensação passou rápido ao ranger os dentes e começar a caminhar com determinação em direção à porta.

Lumikki odiava o sentimento de dever alguma coisa a alguém. Agora ela sentia que devia sua vida à Zelenka.

Lá fora, o sol do fim de tarde brilhava nos olhos de Lumikki e o ar quente a pressionava em todas as direções. Ela checou o celular. Jiři tentara ligar cinco vezes. A última vez há dez minutos. Ele também tentara deixar uma mensagem. Primeiro, Lumikki tentou ligar para Jiři, mas como ele não atendeu o telefone, ela ouviu a mensagem. Jiři disse que estava indo para a casa dos membros do culto para fazer uma história e que o suicídio em massa estava prestes a acontecer já hoje à noite. Aparentemente a polícia e um grupo de resgate estavam a caminho.

Lumikki não parou e refletiu, mas começou a correr. Ela talvez ainda encontrasse Jiři na Super8 e pudesse ir com ele.

Ela chegou ao prédio ofegante às seis e quinze. A recepcionista olhou para ela com pena e disse:

— Dia difícil?

— E pode ficar muito mais difícil. Jiři está aqui?

— Não, ele acabou de sair. Não disse para onde ia, mas...

Naquele instante, uma mulher de quarenta e poucos anos saiu dos elevadores. Ela estremeceu ao ver Lumikki como se a tivesse reconhecido, embora Lumikki não se lembrasse de tê-la visto antes. Havia algo assustador em seus olhos que fez os pelos no pescoço de Lumikki se arrepiar. A mulher apressou o passo, levou o celular para o ouvido e olhou mais uma vez seriamente para Lumikki ao sair.

— Quem é aquela? — perguntou Lumikki à recepcionista, que olhou para ela com os olhos arregalados.

— Você não sabe? Bem, Vera Sováková, a mandachuva da Super8.

Lumikki apenas fez um sinal com a mão como "obrigada" e saiu correndo.

Ela teria de chegar à casa do culto antes que a tragédia se tornasse real.

24

Jiři notou primeiro o odor, que era marcante, repugnante e muito forte. Ele não o reconheceu imediatamente até associá-lo a um acampamento de verão de que participara há dez anos. Um acampamento de verão em que eles se sentavam todas as noites junto à fogueira. Por causa do verão chuvoso, fora difícil acender madeira úmida com apenas fósforos e jornais. Eles usavam litros de querosene.

Aqui as pessoas também haviam usado muito querosene. Até mais do que eles. Dezenas, senão centenas de litros. Jiři tinha de tomar cuidado para não derrubar pilhas de roupas e lençóis que cobriam o chão. Eles todos haviam sido encharcados com querosene.

Não havia ninguém. Nada podia ser ouvido.

Jiři não achou que aquilo fosse um bom sinal, aliás, considerava aquilo um péssimo sinal. Ele jamais acreditara que os membros do culto teriam partido ou decidido não seguir em frente com seu suicídio em massa. Ninguém gastaria tanto tempo, energia e querosene só para queimar uma casa de madeira caindo aos pedaços. Eles tinham de estar ainda na casa. No fundo da casa.

O andar térreo parecia vazio. As portas entre as salas estavam abertas. Roupas e lençóis encharcados com querosene haviam sido jogados aqui e ali assim como colocados em cima de móveis velhos. Uma única chama incendiaria todo o lugar. Jiři não tinha de pensar muito para entender que aquele era precisamente o plano.

Ele fotografou a cena no andar térreo com a mão tão firme quanto pôde e depois começou a subir as escadas com sua câmera. Ainda estava um silêncio mortal. Jiři realmente esperava não ter chegado tarde demais.

Zelenka pensou em sua mãe.

As mãos de sua mãe escovavam e trançavam seus cabelos. Sua suavidade e poder. Sua força transmitia determinação, mas nunca com brutalidade. As mãos de sua mãe eram habilidosas e talentosas. Elas torciam um *croissant* com a mesma facilidade que desentupiam um ralo e consertavam as dobradiças de uma porta.

Os cabelos de sua mãe, que sempre faziam cócegas em seu rosto quando se inclinava para lhe dar um beijo de boa-noite. Sua mãe insistia em poder dar um mesmo quando Zelenka achava que já estava grande demais para beijos de boa-noite. Enquanto adolescente, ela protestava contra eles e puxava as cobertas sobre sua cabeça, escondendo-se debaixo delas. Sua mãe dava pacientemente um beijo pelas cobertas, para que fosse sentido apenas como um suave toque. Em dado momento, Zelenka começou a novamente oferecer voluntariamente sua bochecha ou testa ou topo da cabeça para um beijo, secretamente feliz que sua mãe não se zangara com as rejeições.

Zelenka sabia que não deveria estar pensando em sua mãe. Deveria estar pensando em Cristo. Deveria estar pensando no Paraíso para o qual eles logo se encaminhariam. Um lar onde sua família finalmente estaria reunida, em contato direto com Deus. Sua mãe não pertencia mais à família. Sua mãe traíra a família.

Zelenka sentiu pelo seu torpor que o efeito do sonífero começara a se intensificar. Muito logo, ela passaria da consciência para inconsciência. Não sentiria mais o cheiro de querosene em seu vestido branco. Não ouviria mais o murmúrio e os sussurros das pessoas deitadas à sua volta. E logo elas também se silenciariam, adormeceriam. Zelenka não rezava. Não tinha de rezar. Ela acreditava e a fé era o suficiente para carregá-la por sobre os pensamentos negros do medo. Ela somente desejava que uma vez que as chamas começassem a tocar a sua pele, ela já estivesse em um sono tão profundo que não mais percebesse. Não sentiria dor nem mesmo uma dor distante tentando atravessar as camadas de seu sono.

Mãe. Os pensamentos de Zelenka continuavam a revolver teimosamente em torno de sua mãe. Talvez não fosse totalmente insensato pensar que ela fosse encontrá-la após a morte, afinal. Zelenka queria acreditar em piedade e clemência mais do que era considerado normal na família. Ela não queria pensar em um deus que teria abandonado sua mãe por causa de um erro. O deus de Zelenka não faria isso. A família não sabia. Eles pensavam que Deus era duro, impiedoso e severo, que apenas deixava um pequeno grupo, os escolhidos e especiais, vir até ele.

Vida na morte.

É isso que a família disse. Que na morte eles teriam a nova vida, a verdadeira.

Zelenka não sentia mais suas pernas. Ela não sentia mais seus braços. Seu corpo já adormecera, mas sua mente ainda vagava à beira do sono.

Vida.

Então esta fora sua vida, assim, na vida? Nada além disso? Ela nunca estivera em outro país. Nunca beijara ninguém. Nunca ficara acordada a noite toda conversando com uma amiga. Nunca sentira tanta raiva que tenha querido gritar e chorar. Nunca ficara bêbada. Nunca se perdera em uma cidade estranha. Nunca rira tanto até perder o fôlego.

O sono levou Zelenka consigo, enquanto sua consciência ainda se prendia, em pânico, a uma ideia: eu não quero morrer ainda. Eu quero viver.

Eu quero viver.

Eu quero...

Lumikki se puxou para cima da cerca de ferro. Suas pernas estavam tremendo de exaustão e suas mãos estavam tão suadas que foi difícil agarrar o ferro preto. Mas agora não havia tempo para se preocupar com isso. Agora ela tinha de entrar na casa o quanto antes.

As pontas da cerca de ferro eram afiadas. Lumikki tentou segurá-las o máximo que pôde, da maior altura possível e, em seguida, se balançar sobre a cerca com um movimento suave. Mas uma das suas mãos suadas escorregou no momento crucial e ela sentiu uma ponta fazer um longo corte em sua coxa, que começou a sangrar imediatamente. No mesmo movimento, seu equilíbrio se perdeu e ela caiu no pátio de lado, e não de pé como havia planejado. Felizmente, no último instante, soubera como colocar os cotovelos perto do corpo e apertar o queixo contra o peito.

Lumikki rolou algumas vezes depois da queda e, depois de parar, ficou no lugar por um instante para recuperar o fôlego. Sua lateral doía e o corte em sua coxa ardia, mas, fora isso, ela parecia estar bem. Nenhum osso quebrado nem ferimentos mais graves. Ela já passara por coisas muito piores em sua vida. Mancara para casa em pior estado e fingira que nada havia acontecido.

Lumikki se levantou. Sentiu suas pernas fracas e também se sentiu um pouco tonta, mas conseguiu andar. Provavelmente era a desidratação que fazia com que se sentisse pior do que qualquer outra coisa. Ela estava constantemente suando, embora pensasse não existir mais nenhuma gota para ser tirada dela.

Não havia ninguém no pátio. Lumikki talvez chegasse em tempo.

Ela não estava certa sobre sua teoria, mas tivera uma forte impressão ao ver Vera Sováková que ela sabia mais sobre o suicídio em massa do que qualquer outra pessoa. Era possível que ela, talvez, até estivesse envolvida nele. Pois quem se beneficiaria mais deste suicídio em massa? Adam Havel/Smith é claro, que fugiria do culto, do qual ele não poderia mais tirar dinheiro e que se tornara um ônus. E a mídia poderia se esbanjar nos detalhes trágicos. O repórter mais badalado da Super8 investigara o culto. Sua chefe o enviara sozinho para investigar uma história perigosa. A data do suicídio em massa viera com surpreendente facilidade para a Super8...

Lumikki correu para uma porta lateral e notou que ela havia sido arrombada. Junto à porta ela sentiu um odor familiar. A loção pós-barba de Jiři. Aquilo significava que Jiři também estava lá e que não fazia muito tempo que chegara. A ideia lhe deu mais confiança e força. Eles poderiam fazer isso juntos. A não ser que...

Uma palavra insistente atingiu a mente de Lumikki. A palavra se expandiu em uma frase, um pensamento. A não ser que Jiři fizesse parte da trama? Era totalmente possível. De fato, era provável. Pois não seria sensato enviar um homem para tal tarefa que não soubesse o que envolvia.

E, se este fosse o caso, Lumikki não sabia se deveria estar com mais medo de encontrá-lo na casa. Não havia tempo para pensar. Não havia tempo para analisar. Lumikki entrou através da porta lateral e para o fedor de querosene.

25

Vera Sováková respirou fundo algumas vezes e aproveitou o momento. Agora iria começar. Ela preparara pacientemente este espetáculo midiático por muito tempo. Adam Havel a abordara pela primeira vez há muitos anos e oferecera fazer uma história exclusiva sobre a Família Branca, por um cachê, é claro. Vera, entretanto, achava que eles precisavam de algo maior. Juntos eles começaram a planejar uma tragédia humana que seria grande o suficiente para atrair a atenção do público.

Vera imaginou como as pessoas em cafés e bares em Praga se silenciariam uma após a outra. Alguém ainda tentaria continuar a conversar, mas ele também seria silenciado por um "psiu". As pessoas em casa olhariam a televisão embasbacadas quando, de repente, em meio a um programa de entretenimento, um noticiário ao vivo começaria. Celulares tocariam. "Ligue a televisão, algo extraordinário está começando."

A tela com o conhecido logo da Super8 estaria subitamente cheia de imagens filmadas com uma câmera portátil em uma casa de madeira em ruínas. Uma voz séria de mulher, que alguns reconheceriam como sendo da chefe da Super8, Vera Sováková, que tivera uma longa carreira de jornalista, diz que o repórter Jiři Hašek conseguira entrar em um culto religioso, a casa da Família Branca. Acreditava-se que o culto planejara um suicídio em massa, o qual deveria acontecer hoje. Jiři Hašek foi o primeiro a chegar ao local e entrou, bravamente, enfrentando a morte, para salvar as vítimas.

Vera sentiu arrepios na espinha ao pensar como as pessoas ficariam hipnotizadas pelas telas dos televisores. Elas perceberiam que assistiam a um drama da vida real, que podia terminar bem ou mal.

Um fósforo apenas provavelmente teria sido o suficiente. Adam Havel não correu nenhum risco, porém. Ele segurou um coquetel molotov pesado em sua mão e então o jogou em direção da janela. A janela se partiu em pedaços. E as chamas se espalharam imediatamente.

Tolos. Eles haviam acreditado quando Adam lhes dissera que se asseguraria que todos estivessem em um sono profundo antes de acender o fogo e atirar em si mesmo. Ele mantivera a primeira parte da promessa. Certamente checara se todos estavam dormindo. Em seguida, trancara a porta e saíra. Esperara até ver o repórter idiota arrombando a porta lateral.

Adam teria ficado realmente feliz em ficar e ver como a casa velha e feia queimaria como uma fogueira. Como o fogo consumiria a estupidez e a confiança inocente das pessoas. Sentiu uma certa satisfação de poder fazer melhor do que fizera às pressas em Nebraska. Desta vez tivera a paciência de cultivar sua comunidade por tanto tempo que seus membros confiavam nele incondicionalmente. Eles ouviam seus contos de fadas sobre como o fogo purificador elevaria suas almas direto aos céus, onde os infiéis não teriam acesso.

Adam gostara do poder que tivera sobre os outros. De tempos em tempos, ele até considerara a ideia de manter tudo como estava. Adam falava sobre fé e família com tamanha convicção que às vezes ele mesmo começava a acreditar. Mas pastorear o rebanho se tornara trabalhoso e ele mesmo envelhecera. O acordo com Vera Sováková tornara possível a separação da família como um homem livre e rico.

Adam não podia ficar e ver as chamas que ateara. Seu voo partiria logo e ele iria para longe com o dinheiro dado por Vera Sováková e um novo nome e passaporte. Seria a hora de virar uma nova página. Limpa e branca como a neve.

Adam deu as costas para a casa, trancando o grande portão de ferro. Aquilo também atrasaria a polícia e os bombeiros. Provavelmente tempo o bastante.

Cacos de vidro voavam na direção de Lumikki e ela se agachou rapidamente para evitá-los. Em seguida, o calor das cortinas em fogo bateu em seus braços. Lumikki correu para as escadas.

— O que você está fazendo? — disparou Lumikki, colocando a mão sobre a lente.

Jiři puxou a câmera de volta para si.

— Fotografando.

Lumikki engoliu em seco. Todos os seus músculos se tornaram tensos.

— Você está envolvido nesta trama?

— Do que você está falando?

A voz e a expressão no rosto de Jiři estavam sinceramente confusas. Mas se Lumikki havia aprendido algo naquela viagem infernal, tratava-se de sua habilidade de reconhecer quando as pessoas estavam mentindo.

Agora não havia tempo para ser esperta. Era necessário colocar todas as cartas na mesa de uma vez.

— Vera me instruiu para... — começou Jiři.

— Eu acho que Vera Sováková está em parte por trás disto. Acho que ela sabia há muito tempo que isso estava prestes a acontecer. Provavelmente foi ela quem enviou o matador atrás de mim. Pode até ser que todo este suicídio em massa seja trama dela.

Lumikki falou rápido e em voz baixa. Uma fumaça cinza quente subia do andar térreo e as chamas estalavam. Ambos começaram a tossir. Lumikki viu como Jiři media as palavras. Ele reviu todos os eventos, informações e situações que haviam os levado até lá. Então os olhos de Jiři se arregalaram. Ele claramente chegara à conclusão de que Lumikki podia estar certa. Ele desligou a câmera.

— Eles não estão no andar superior nem no andar intermediário. Eles têm de estar no porão — disse Jiři.

Lumikki começou a descer as escadas correndo.

— Espere! Não é seguro aqui. Você tem de ir agora. Os bombeiros logo estarão a caminho. Eles receberam um aviso antecipadamente — disse Jiři. — Vera disse que...

A frase de Jiři nunca foi terminada, pois ele compreendeu.

— Eles não sabiam de nada — respondeu Lumikki. — Na dúvida, eu corri passando por um corpo de bombeiros. Ninguém ouvira falar sobre um suicídio em massa neste endereço. E eu não sei se eles acreditaram em mim. Pode ser que pensaram que eu era louca. Eu não tive tempo de ficar e tentar convencê-los. Pode ser que eles estejam vindo apenas agora que um dos vizinhos os informou que há um incêndio aqui.

— Ligarei para o serviço de emergência — disse Jiři e começou a tirar o celular de seu bolso.

O fogo espalhava-se pelas paredes. Agora ele não estava mais satisfeito apenas com os tecidos encharcados de querosene. Ele já devorava a madeira enquanto se espalhava. A temperatura já havia subido ao limite do suportável. O fogo travou seus dentes na parte superior das escadas e a madeira começou a ceder.

— Não há tempo! — gritou Lumikki.

Eles desceram as escadas correndo.

Jiři jogou a câmera fora.

— Siga-me! — ordenou Lumikki e começou a ziguezaguear pelas chamas no único caminho que ainda não fora engolido pelo fogo.

Ela ouviu algum tecido rasgando atrás dela. Jiři estava rasgando pedaços de sua camisa. Ele deu um para Lumikki.

— Pegue. Cubra a sua boca.

Eles chegaram às escadas levando ao porão. Parecia completa loucura ir ao subsolo, para alguma armadilha, enquanto a casa de madeira estalava em volta deles e, de algum lugar, ouviu-se o som de algo grande despencando. Provavelmente as escadas que levavam ao andar de cima. Mas agora não havia tempo para pensar no que era louco e no que não era. Eles correram pelas escadas e entraram no porão.

Despensas. Um porão de alimentos. E uma sala cuja porta estava trancada. Eles se entreolharam, fizeram um gesto afirmativo e chutaram a porta com força simultaneamente. A madeira cedeu um pouco, mas não o bastante. Eles chutaram de novo. A porta rangeu, mas continuou intacta.

Grau a grau, o ar à sua volta aquecia rapidamente. Uma fornalha. Um mar de chamas. Inferno.

Os olhos de Lumikki começaram a lacrimejar. Ela viu pelo tecido que ela segurava na frente do rosto que Jiři se abaixara para um depósito. Após um momento que pareceu uma eternidade, ele voltou carregando uma pesada motosserra.

Jiři puxou várias vezes para ligá-la, mas a motosserra não fez um único som. Lumikki pôde ver imediatamente pela sua postura e seus movimentos que ele jamais havia ligado uma motosserra em sua vida. Lumikki ligara motosserras tantas vezes nos verões que passara com seu pai e sua mãe na casa de verão de seus parentes nas ilhas Åland. Ela correu até Jiři e o afastou um pouco rudemente da serra. Há hora para ser educada, mas não era o caso agora.

Lumikki esperava que a motosserra houvesse sido usada recentemente, pois, deste modo, seria fácil ligá-la. Ela segurou a motosserra contra o chão, colocando um de seus pés parcialmente dentro da empunhadura traseira e apertando com força a empunhadura frontal com sua mão esquerda. Com sua mão direita ela puxou o manípulo de partida, primeiro algumas puxadas curtas e depois puxando por toda extensão.

Nada.

Vamos, comece. Comece.

Lumikki tentou de novo. Três puxadas curtas, que deveriam mover a gasolina no cilindro. Em seguida, uma longa puxada forte.

A motosserra ligou.

Era pesada, mas, de alguma forma, Lumikki conseguiu levantá-la na posição correta. Os músculos de Lumikki tremiam com o esforço enquanto a lâmina cortava a porta de madeira. Lumikki virou o rosto, pois pedaços de madeira e serragem voavam no ar. O barulho era ensurdecedor. Ela conseguiu fazer um grande corte antes que suas forças se exauriram.

— Saia do caminho! — gritou Jiři atrás dela.

Lumikki se moveu para o lado, Jiři deu alguns passos para trás para tomar velocidade e chutou onde Lumikki cortara. A porta quebrou-se em duas partes ao meio.

Havia pessoas deitadas no chão. Lumikki contou rápido que havia dezessete deles. Eles pareciam mortos, mas, quando Lumikki tocou a pessoa que estava mais próxima dela, uma velha, ela sentiu o pulso no pescoço.

— Eles foram drogados — ela gritou.

O fogo já retumbava tão alto sobre eles que era difícil ouvir.

— Adam Havel não está aqui — respondeu Jiři.

— E daí? Ajude-me a salvar Zelenka!

Lumikki encontrara Zelenka entre os outros. Ela tentou levantá-la. O corpo de Zelenka estava mole e pesado. Jiři veio ajudar e juntos eles conseguiram colocar Zelenka nos ombros de Jiři. Lumikki jogou o braço de Zelenka sobre seu próprio pescoço, para poder dividir um pouco do peso.

Eles começaram a subir lenta e cuidadosamente as escadas estreitas do porão. Viera fumaça até os olhos, narizes e pulmões. Lumikki saiu de debaixo do braço de Zelenka, deu um tapinha nas costas de Jiři e gritou sobre o som ensurdecedor do fogo:

— Corra!

Jiři começou a correr. Lumikki o seguiu bem atrás. De repente, uma tábua em chamas caiu do teto. Lumikki conseguiu pular para trás no último segundo. Ela viu como Jiři conseguira chegar à porta lateral e passou por ela com Zelenka.

O fogo gritava e cantava em volta de Lumikki. Ela o sentiu tocando sua camisa e supôs que suas costas estavam pegando fogo.

Então Lumikki simplesmente correu, correu, correu através do fogo, pela porta, jogou-se no pátio e rolou, rolou, rolou até a sensação de ardor desaparecer de suas costas. Viu Jiři se deitando e tossindo no chão. Viu Zelenka, que estava sobre a grama em um sono profundo e tranquilo.

As chamas subiram em direção ao céu.

Através do rugido das chamas eles podiam ouvir as sirenes do corpo de bombeiros.

QUINTA-FEIRA, *23 de junho*

EPÍLOGO

We are difficult to understand (Somos difíceis de entender)
It was hard to make the simple plan work (Foi difícil fazer o plano simples funcionar)
Difficult, that's what made it burn. (Difícil, isso que o fez queimar.)[13]

Lumikki olhou para as montanhas brancas de algodão e chantili e o vazio azul da janela do avião ao mesmo tempo que Shirley Manson cantava em seus ouvidos sobre um grande mundo brilhante. Era raro o Garbage ter uma música tão alegre, mas, naquele momento, Lumikki gostava dela.

Ela deixou sua mente pairar sobre a cena. Descansar. Era disso que precisava agora mais do que de qualquer outra coisa. Ela gostaria de poder se trancar em casa e dormir por uma semana. Isso não será possível. Havia uma Festa do Verão com a família à vista. Ela teria de contar às pessoas como era Praga.

Muito bom.

---

[13] Trecho da música de *Big bright world*, da banda Garbage. (N. T.)

Bem Europa Central.

Muita cultura. Até teatro de sombras.

Relaxante.

E, é claro, ela podia falar dos montes e dos parques da cidade, das muitas pontes, do calor do dia que se transformava em uma carícia morna à noite, das ruelas da velha cidade, estátuas, cafés. Ela podia falar de tudo que era bom e fácil. E quando as pessoas perguntassem se viajaria para Praga de novo, ela poderia responder honestamente: "é claro". Ela omitiria que há duas pessoas na cidade que ela pode até chamar de amigos. Ela passara os últimos dias de sua viagem grudada com Jiři e Zelenka. Vera Sováková provavelmente tirara o matador que perseguia Lumikki, uma vez que o suicídio em massa terminara. Lumikki não era mais uma ameaça. Não era importante. E ela estava felicíssima por isso.

Mas Lumikki sabia que todos iriam querer saber do incêndio e de seu ato heroico. Toda a mídia local quis entrevistar a "garota prodígio", que por acaso aparecera no local quando o culto tentara cometer um suicídio em massa e, assim, salvara as pessoas. Embora Lumikki tenha dito o mínimo possível nas entrevistas e tentado dirigir os jornalistas para falar com Jiři, eles estavam mais interessados nela. Segundo os jornalistas, era uma heroína tão simpática que ao mesmo tempo parecia forte e frágil, exatamente como as pessoas amavam. Ela havia sido mostrada em todos os noticiários e seu rosto cheio de fuligem e suas roupas rasgadas haviam sido apresentadas.

Mesmo agora, Lumikki viu um homem do outro lado do corredor do avião que estava lendo um jornal de alguns dias atrás com ela na primeira página. Seu cabelo curto estava todo bagunçado, seus olhos pareciam vermelhos como se tivesse acabado de chorar, pois a fumaça fizera com que eles lacrimejassem e do lado esquerdo do seu rosto havia um pequeno corte feito por um pedaço de madeira que voara da porta. Lumikki sabia que dentro do jornal havia também uma foto da motosserra e uma história como "uma corajosa garota finlandesa que foi criada no meio da floresta e da natureza" conseguira abrir a porta.

Quando o executivo levantou os olhos, Lumikki virou mais uma vez o olhar para a janela. Talvez ela não fosse reconhecida com o rosto limpo e roupas intactas. Mas não queria correr o risco de ter de repassar todos os eventos do incêndio de novo com um completo estranho.

Seus pais e familiares, entretanto, ficariam perguntando sobre o evento, embora Lumikki preferisse esquecê-lo. O fato de que o noticiário transmitira a tragédia encenada a enojava, embora a maior tragédia houvesse sido evitada.

Certo, certo. Vera Sováková conseguiu sua manchete, mas menor e menos importante do que ela provavelmente planejara. Sem mortes o suficiente, nenhuma grande notícia. Apenas a morte torna possível a real história de um herói. O corpo de bombeiros chegou à cena rápido demais. As queimaduras de uma senhora de idade não são tão emocionantes quanto metade dos membros do culto mortos.

Adam Havel não foi pego. A polícia emitiu um mandato de busca por ele, mas Jiři suspeitava que ele nunca seria encontrado. Adam Smith também fora um nome inventado. Ninguém sabia quem realmente era. A esta altura ele poderia estar em qualquer lugar do mundo. Talvez reunindo mais seguidores.

Obviamente não havia evidência sobre a participação de Vera Sováková nos eventos. Quando Jiři tentara pressionar sua chefe sobre isso, ela comentara que havia uma fila de pessoas atrás da porta querendo ser repórteres da Super8. Jiři disse à Lumikki que talvez um dia ele recomendaria à Vera Sováková a escolher alguém de lá para substituí-lo. Mas ainda não. Agora ele tinha outra pessoa para cuidar e o dinheiro era necessário.

Se uma pessoa salva alguém, torna-se responsável por ela. Foi isso que Jiři disse e levou Zelenka para viver com ele. Pelo menos por um tempo. Até ela poder começar uma nova vida.

No aeroporto, Zelenka abraçou Lumikki forte e por muito tempo.

— Se eu tivesse uma irmã... — disse Zelenka.

Lumikki sorriu e fez um gesto afirmativo.

Inside this big, bright world (Dentro deste grande, brilhante mundo)
Inside this big, bright world (Dentro deste grande, brilhante mundo)
Inside this big, bright world (Dentro deste grande, brilhante mundo)[14]

Lumikki olhou para o brilho do sol e a brancura das nuvens e pensou que, embora a viagem não tivesse oferecido uma resposta para a questão acerca de seu passado, dera algumas pistas. Lumikki estava mais certa do que antes que Zelenka chegara, de fato, próximo à verdade em sua história inventada. Os sonhos e as lembranças de Lumikki eram reais. Zelenka conseguira acordá-los com sua mentira. Lumikki sabia que ela não sonhara com a peça da Branca de Neve e Rosa Vermelha, nem com outras coisas. Tudo havia acontecido.

Certa vez ela tivera uma irmã.

---

[14] Idem nota anterior.